KB171675

유기견 임시보호와 입양 일기

안녕, 나는 무디

진행형

진행형

https://brunch.co.kr/@jiiin
인생은 진행형이자 여정

발   행 | 2024-07-23
저   자 | 진행형
펴낸이 | 한건희
펴낸곳 | 주식회사 부크크
출판사등록 | 2014.07.15(제2014-16호)
주   소 | 서울 금천구 가산디지털1로 119, A동 305호
전   화 | 1670 - 8316
이메일 | info@bookk.co.kr

ISBN | 979-11-410-9643-4

www.bookk.co.kr
ⓒ 유기견 임시보호와 입양 일기 2024
본 책은 저작자의 지적 재산으로서 무단 전재와 복제를 금합니다.

유기견 임시보호와 입양 일기

안녕, 나는 무디

진행형

CONTENTS

Part 3. 유기견 입양 일기

Part 4. 유기견, 입양 등에 관한 개인적인 의견

Prologue

무디와 한 가족이 되며, 저의 일상은 많이 변했습니다. 날이 화창하나 궂으나, 비가 오나 눈이 오나, 하루 일과에 무디와의 산책은 필수입니다. 매일 공원을 걷는 덕에 우울증 같은 것이 내 안에 들어올 틈이 없는 것 같습니다. 더불어, 나 혼자라면 가보지 않았을 장소들에 가보게 되었고, 혼자라면 해보지 않았을 일들을 해보게 되었으니까요.

또, 똑같은 장소에 여행을 가더라도 '누구'와 함께 가는지에 따라 완전히 다른 여행지가 되잖아요. 그 여행지에서 느끼는 감정이나 남겨지는 추억, 여행이 주는 깨달음이나 여행에 대한 소감, 모든 것이 달라지죠. 저의 앞으로의 인생을 여행이라고 생각하면, 무디와 함께할 시간들이 많기 때문에 어떻게 채워질 지 기대가 됩니다. 단순히 '개 한 마리를 기른다'고 하기엔, 무디가 저의 일상을 더 풍요롭게 해준 것이 사실이고, 수많은 감정을 느끼게 해준 친구나 가족과도 같아졌으니까요.

무디와의 시작은 쉽지 않았습니다. 하나의 생명이 내 삶에 들어온다는 것 자체로, 이미 쉽지 않은 일 임에는 분명합니다. 처음에는 무디를 위해 해줄 수 있는 것이 무엇인지 열심히 공부를 했던 것 같아요. 사랑을 주더라도 내 방식이 아니라 무디의 방식에 맞게 주고 싶었으니까요. 그러다가 나중에는 그때마다 마음을 다 하는 일에 더 집중하게 된 것 같아요. 생명은 서로 감정이나 마음을 주고받을 수 있으니까요.

이 글을 쓰게 된 계기는, 어느 두 강아지와 그들 각각의 보호자들입니다. 한 강아지는 길거리 생활 후 보호소 생활, 그리고 입양, 그러나 침대 밑에서 몇 달을 나오지 않는다는 이유로 파양을 겪었습니다. 얼마 후, 한 미국 가정집으로 해외 입양을 가게 되었는데 여전히 세상 밖으로 나오지 못했고, 그 보호자는 강아지가 마음을 열기까지 하루 일상과 변화를 영상으로 기록해주었습니다. 많은 책과 훈련사들의 영상도 유익하였지만, 저에게 가장 많은 도움과 응원을 준 것은 해당 유튜브 채널이었습니다. 또 다른 강아지는 입양 후 8개월이 넘게 집 구석에서 꼼짝하지 않아 발톱이 길어질대로 길어진 강아지였는데요, 보호자와 함께 하나씩 극복해나가는 모습을 SNS에 기록했고, 이 역시 저에게 길라잡이가 되어주었습니다.

무디의 이야기도, 겁이 많은 개나, 사람이 준 상처로 사람들과 살아가기 어려워하는 개와 가족이 되어 살아가고 있는 사람들, 또는 유기견 입양을 고려하고 있는 사람들, 개와 살 여력은 안되지만 반려동물에 대해 응원을 보내는 분들에게 조금이나마 유익한 정보 또는 도움과 힘이 되기 바라는 마음에 기록을 해보았습니다.

무디의 초창기 사진은 화질이 안 좋고 흐릿하답니다. 무디에게 가까이 다가갈 수 없어, 멀리서 몇 배 확대를 해서 겨우 사진을 찍곤 해서요. 무디가 하루 종일 켄넬에서 밖으로 나오는 시간도 단 몇 분 밖에 되지 않았기 때문에 사진이나 영상을 찍는 기회조차 얼마되지 않았어요. 그래서 멋진 사진들은 아니지만, 사진을 통해 무디에 대해 보이는 것들이 많아 글과 함께 첨부를 해보았습니다.

처음에는 고개가 축 아래로 떨어져 있고 눈빛에서는 두려움과 불신이 느껴졌다면, 지금은 활짝 웃는 얼굴을 보여서 신기할 따름입니다. 사랑은 몇 백 년, 몇 천년, 심지어 몇 만년 역사에서도 절대 변하지 않는 불변의 가치인 것처럼, 사람도 사랑으로 살아갈 수 있는 것처럼, 생명이라면 마찬가지인가 봅니다.

살아가면서 만나는 수많은 사람들이 있고 인연들이 있는데, 누군가에게 아주 작은, 그리고 아주 찰나라도 사랑과 애정, 관심 그런 것들을 줄 수 있고 또 나도 받을 수 있다는 것은 엄청난 행운이고 고마운 일인 것 같습니다.

마지막으로, 머리말을 주절주절 썼는데 사실 한 마리의 개와 지냈던 시시콜콜한 일기 같은 글입니다. 그래서 화려함은 없는 곰국 같은 이 글을 읽기 시작한 분이 있다면, 시간과 관심을 내주어 고맙다는 말을 하고 싶습니다.

Part 1. 전지적 무디 시점

안녕, 나는 무디.

나의 첫 번째 집

안녕, 나는 무디.

처음에는 거인들이 나를 향해 웅얼웅얼 대는데 무슨 말인지 알아들을 수가 없었어. 낑낑 대는 것 같기도 하고 뭔가 화가 난 건가 싶기도 하고 도통 알 수가 없었지. 그런데 그중에서 제일 많이 하는 말이 '무디'랑 '아이 예뻐'야. 무디를 부를 때는 나를 보면서 '무-우디'로 부르기도 하고, '무디?!' 이렇게 부르기도 하더라고. 뭔가 오라는 듯 손짓도 하고 말이야. 그래서 내 이름이 무디라는 걸 알았어.

나는 태어나자마자 도로변 뜬 장에서 살았어. 내가 살던

집은 사방이 다 뚫려 있으면서도 막혀있어. 쇠로 된 차가운 창살인데, 길쭉길쭉 촘촘히 되어 있지. 그래서 밖이 다 보이는데 나갈 수는 없어. 도로변에 차들이 쌩쌩 달렸지. 옆에 또 다른 뜬장 하나가 더 있었는데, 거기엔 닭들이 살았어. 우리는 철장 사이로 서로를 볼 수 있었지. 닭들은 꼬끼오하고 해가 뜨기도 전부터 울어댔는데, 층간소음이 따로 없어. 소리만 들리는 게 아니라, 옆집 살림살이도 다 볼 수 있지. 그리고 지나가는 차에 탄 거인들이 날 보는데 부끄럽기도 했어. 내가 오줌 누는 것도 쳐다보고, 내가 밥 먹을 때도 쳐다보는 것 같아서 민망했어.

　나는 8월쯤 태어났는데, 해가 뜨고 좀 있으면 사방으로 햇빛이 들어오는 데 너무 더웠어. 아참, 나는 차가운 물을 좋아하는 데 물은 금방 미지근해졌지. 그래서 지금 살고 있는 집에 오고 나서, 찬 물을 먹는 게 좋았어. 차가운 물을 마시면 내 꼬리는 저절로 올라갔지. '아이 시원해.'

　바닥도 철장들로 촘촘하게 얽혀 있어. 그래서 우리가 쉬야를 하거나 똥을 싸면 바로 흘러내려가거나 아래로 떨어져. 우리에게 종종 밥을 넣어주는 늙은 남자 거인이 하나 있는데, 그 거인이 아래에 떨어진 똥을 아주 가끔 치워주긴 해. 그거 알아? 나도 깨끗하고 깔끔한 걸 좋아해. 내 몸에 오줌이 묻고 똥이 묻으면 나도 찝찝하고 불편해. 근데 아무리 내 몸을 핥아서 닦아보려고 해도 닦으면 또 묻고, 닦으면 또 묻어. 똥 냄새가 바로 아래에서 하루 종일 올라오는 건 나도 별로야. 나는 발이 아직 조그마해서 바닥 구멍 사이로 발이 숭덩숭덩 빠지곤 했어. 그럴 때는 심장이 철렁해. 처음에 발이 빠졌을 때는 누가 내 발을 아래에서 잡아당긴 줄 알고 깜짝 놀랐지 뭐야. 사뿐사뿐 걸어 다니려고 하는 것보다 그냥 가만히 앉아 있는 게 나아. 하루 종일 가장자리 구석에 '철퍼덕' 앉아 있는 게 전부였어. 그러다 그 늙은 거인이 다가오면 우리는 무서워서 얼음이 되어 얼어있거나 이리저리 왔다 갔다 정신이 없었어.

그래도 뜬장에서 지낼 수 있었던 건, 같이 있는 친구들 덕분이었어.

15

내 뜬장 친구

그래도 뜬장에서 지낼 수 있었던 건, 같이 있는 친구들 덕분이었어. 우리 집(=뜬장)은 내가 가장 끝에서 열 걸음 정도 걸어가면 반대편 끝이 나오는 정도의 크기였지. 그 안에 나와 친구 네 마리가 함께 살았어.

나보다 이곳 생활을 오래 한 언니들이 있었는데, 큐티 언니랑 하트 언니야. 한 살, 두 살이라고 했어. 그리고 엄마 뱃속에서 같은 날 태어난 내 자매들, 무아와 무무도 있었어. 엄마는 어디에 갔는지 모르겠어. 나는 태어나고 곧바로 여기에 들어왔거든. 우리는 한 공간에 있어 그런지 파보 바이러스가 걸리기도 했는데, 나는 무사히 잘 나았지만 무무는 무지개다리를 건넜대.

큐티 언니는 키가 꽤 커서 우리 집보다도 키가 더 컸어. 몸을 구부려야 머리가 천장에 안 부딪힐 수 있기 때문에 거북목이 되어가고 있었지.

큐티 언니의 매력은 긴 털이야. 하트 언니와 다르게 큐티 언니는 털이 무성하게 자랐어. 나도 큐티 언니처럼 털이 길게 지랄지, 하트 언니처럼 짧게 자라는지 궁금하더라. 언니들 말로는 좀 커봐야 알 수 있대. 나는 태어난 지 거인들 달력으로 두 달 밖에 안 돼서 아직은 모른다고 말이야. 엄마, 아빠를 알았다면 엄마를 닮았을지, 아빠를 닮았을지 상상해볼 수 있었을 텐데, 아빠는 본 적이 없고 엄마는 내가 눈도 뜨기 전에 헤어져서 생김새를 잘 모르겠어.

모기의 왱왱거림도 없어지고 날이 바람 불어 선선한 어느날, 거인이 사는 집에 처음 보는 거인 몇 명이 찾아오곤 했어. 이런저런 이야기를 하더라. 사람이라고 해야겠다. 그러더니 그 사람들은 얼마 후 다시 찾아와서, 우리 집 문을 열었어. 그리고 상자 같이 생긴 곳에 우리를 집어넣으려 했어.

연이은 이사

큐티 언니가 앞장서서 다가오지 말라고 이야기하고 있었고, 우리는 큐티 언니 뒤에 숨어 있었지. 그 사람들은 '괜찮아, 괜찮아'라고 말하면서 우리를 데려가려 했어. 우리는 저항해 봤지만, 큐티 언니와 하트 언니를 데려갔고, 나와 무아, 그리고 무무는 한 상자에 함께 들어갔어.

나를 삶아 먹으려고 작전을 짜는 건 아닌지, 나를 납치해 가려고 쑥덕거리는 건 아닌지 알 수 없어 무서웠어.

내 집이 바뀌었어. 거긴 조금 더 푹신하고 따뜻했어. 그리고 나 같은 친구들이 엄청 많아서 여기저기서 짖는 소리가 들려. 그래도 잠이 솔솔 왔어. 사람들이 가끔 다가왔는데, 나는 무서워서 뒤에 앉아 쳐다보기만 했어. 다른 친구들은 사람을 반가워하기도 하고 달려가서 꼬리를 흔들기도 하던데 나는 무서웠어.

그러다가 얼마나 지났는지 모르겠어. 나를 켄넬이라는 상자에 또다시 넣어 데려갔는데, 이번엔 친구들이랑 같이 간 게 아니라 나 혼자만 갔어. 너무 무서워서 똥을 싸고 오줌도 싸고 말았어. 차를 타고 멀리 달리다, 다른 한 강아지가 내렸고, 또 달리고 달려 다른 곳에 한 강아지가 내렸어. 처음에는 긴장해서, 켄넬 문과 최대한 멀리 떨어져서 끄트머리에 몸을 바짝 붙이고 있었지. 그런데 너무 피곤하고 노곤노곤해져서 포기하고 잠들어 버렸어.

그러다 보니, 이번에는 내 차례인가 봐. 내가 내렸는데, 쌀쌀한 바람이 느껴졌어. 어떤 사람이 저 멀리서 다가오는데, 차를 운전했던 사람들은 내가 담긴 켄넬을 그 사람에게 건네주었어. '나, 이번에는 어디로 납치된 걸까?'

낯선 냄새가 나는 세 번째 집에 내가 들어있는 켄넬이 놓였어. 처음 보는 사람이 켄넬 문을 열어줬는데, 나는 사방이 막혀있는 켄넬 안에 그대로 있는 게 좋았어. 나가기에는 너무 무서웠어. 사실 오늘 병원 가서 주사도 맞았고, 차도 오래 타서 기운이 없었지만, 마지막 정신을 붙잡고 경계태세로 지켜봤어. 심지어 너무 배고프고 목도 말랐어. 내 앞에 밥이랑 물을 놔줬는데 나는 꿈쩍도 할 수 없었어. 몸이 꿈쩍도 하지 않더라고. 그러다 그 사람이 멀리 떨어져 있기에 나도 모르게 상자 안에서 잠이 들었어.

Part 2. 겁 많은 유기견 임시보호 일기

무디는 뭐가 그렇게 무서울까?

여기까지는 무디 입장에서 거인인, 나의 상상이다. 물론 무디 구조 단체의 정보를 기반으로 했다. 무디가 우리집에 온 첫 날 이야기는 뒤에서 이어 하기로 하고, 우선은 왜 무디 입장에서 상상을 하게 됐는지 이야기해보려고 한다.

무디가 우리집에 온 지 두 달쯤 되었을 때니까, 시간이 꽤 흘렀다고 생각했는데 무디는 여전히 구석이나 켄넬에 숨어 나오지 않았고, 사람을 정말 무서워했다. 무디는 하루에 밥 먹으러 한 번, 배변하러 한 번, 총 두 번 정도 나오는 게 전부였고, 사람이 잠들면 그때서야 자유의 몸이 되어 장난감과 함께 뛰어놀았다. 심지어 사람이 잠을 잘 때에도 무디는 긴장을 완전히 늦춘 것은 아니었는데, 사람이 몸을 뒤척이면 무디는 눈이 동그래져서 침대로 뛰어와 사람이 잘 자고 있는지 확인을 하고서야 다시 놀기 시작했다.

하루는 남편이랑 소파에 가만히 앉아 무디를 유령 강아지 취급하며 우리 눈에 무디가 안 보이는 것처럼 대하고 있었다. 무디를 의식하기 보다 신경 안쓰는 척해주면 무디가 한결 편해하는 것 같아서였다. 실은, 나의 온 신경과 감각은 무디를 향해 있었다. 무디의 꼬리는 거의 똥꼬에 붙어 있을 정도로 내려가 있었기 때문에, 꼬리 높이가 조금만 올라가도 속으로 '무디 꼬리 올라갔다!'하고 환호하고 있었기 때문이다. 그렇지만 이런 내 속마음을 최대한 감추고 무디가 무얼 하든 TV 보는 게 훨씬 더 재미있다는 듯 TV를 보았다.

무디는 주변을 살피더니 내가 무디에게 집중하지 않는 것 같자, 켄넬에서 조심스레 나와 밥을 먹기 시작했다. 그런데 남편이 '에취'하고 재채기를 했다! 무디는 역시나 겁에 질려 켄넬로 뛰어 도망갔다. 무디는 사람과 눈만 마주쳐도 도망가고, 사람이 움직이기만 해도 도망가기 일쑤였기 때문에 궁금했다.

"무디는 뭐가 그렇게 무서울까?"

그렇게 이런 상상이 이어졌다.

"우리 입장에서는 임시보호지만, 무디는 납치라고 생각할 걸?"

우리는 무디가 추운 겨울, 조금이라도 따뜻한 데서 맛있는 밥 먹고 지냈으면 해서 데려왔지만, 무디 입장에서는 하루아침에 친구들이랑 헤어져 낯선 사람 집으로 납치됐다고 느낄 수도 있다고 생각했다.

"그러네. 심지어 우리로 치면, 어느 날 갑자기 저 빌딩 건물만 한, 우리보다 몇 배나 큰 거인들이 우리를 데려간 거잖아. 심지어 한 공간에 같이 있어야 돼!"

무디 입장에서 우리는 그냥 거인일 뿐이다.

남편은 잠시 상상을 하더니, 소름이 돋는다는 듯 '어휴, 생각해 보니 내가 무디였으면 나는 나와서 밥도 못 먹었을 것 같아'라고 말했다. 남편은 안전불감증의 반대, 안전감증이라 돌 다리도 두드려 보고 건너는 신중한 사람이었기 때문에 무디의 마음에 더 공감하는 듯했다.

"그래, 반대로 생각해 보니까 '무디는 왜 사람이 주는 간식을 안 먹을까' 궁금할 게 아니라, 그럴 만도 하네."

남편은 본인이었으면 나와서 밥도 안 먹었을 거라고 했으니, 남편보다 무디가 좀 더 용감하다며 우리는 대화를 마쳤다.

무디는 좁은 뜬장에 다섯 마리 개가 방치되어 있어 구조됐다고 했다. 그리고 같은 배에서 태어난 다른 한 마리는 파보 바이러스 치료 중에 별이 되었다. 무디는 파보 바이러스 치료를 받느라 병원에서 사람들의 손길에 대해 안 좋은 기억을 가지게 되었을 수도 있다. 그리고 자매도 잃었으니 이미 3개월이라는 새끼 강아지 시절에 상처를 갖게 됐을지도 모른다.

무디 임시보호 결정하기 전 무디의 보호소 생활 영상과 사진을 봤는데, 무디는 누가 봐도 겁이 많은 강아지였다. 다른 강아지들은 사람에게 가까이 다가와 꼬리를 흔들기도 하는데, 그 와중에 무디는 멀찍이 뒤에 앉아 사람을 관찰하는 듯 멀뚱히 쳐다보기만 했다.

무디 임시보호 홍보 게시글에도 이렇게 쓰여 있었다. '무디는 사람을 보면 '뭐야, 사람이잖아?'하는 표정을 짓고 시크하게 있지만 만지거나 안아도 입질 하나 없는 순둥이 개린이예요!'

안녕, 반가워 무디

두근대는 무디 맞이 준비

"아마 저녁쯤 도착할 것 같아요. 출발하면서 연락드릴게요."

보호소 대표님의 문자가 왔다. 저녁쯤에 도착한다고 하니, 오후부터 설레기 시작했다.

요즘 들어 몸이 무겁고, 하루 종일 아무것도 안 하고 침대에 누워있고 싶은 마음이 간절했다. 열정 가득했던 몇 달 전과는 또 다른 모습의 나를 겪고 있었다. 설거지가 쌓이는 것도 싫고 화장대 앞에 머리카락이 가득한 것도 싫었는데, 지금은 설거지도 저녁으로 미루고 화장대 앞 머리카락도 그냥 두고 싶었다. '며칠 치 한 번에 모아서 버리면 되잖아'하는 마음이 훨씬 우세했다.

그러던 내가 무디에게 필요한 용품을 사러 용품점으로 뛰어가고 있었다. 마음이 설레어서 발걸음은 가벼워졌고, 나도 모르는 사이에 마음은 다리에게 뛰어가라고 이미 조종하고 있는 것 같았다. 달려가고 있는 나를 보고 그제야 머리는 뒤늦게 '내 마음이 설레는구나'하고 알아차렸다. 심지어 추운 날씨를 신경 쓰기보다, 햇빛이 건물 사이로 줄기처럼 비쳐오는 것에 기분이 좋을 뿐이었다.

임시보호를 하는 것이기 때문에, 처음부터 많은 것을 구비하기보다 가장 필요한 기본적인 것부터 차근차근 구비하기로 했다. 강아지를 집에서 케어하기 위해 필요한 것은 많지만, 좋은 양육자가 나타나 입양 보내게 될 것을 대비해 집안에 흔적을 많이 남기지 않는 게 좋겠다고 생각했다.

마침 집 근처에 대형 반려동물 용품점이 있다. 강아지를 맞이하는 첫날, 꼭 필요한 것이 무엇인지 생각해 갔는데, 의식주에서 '의'는 제외하더라도 우선 '식'과 '주'에 해당하는 것들이 필요했다. 잠을 자야 하니까 방석, 혼자만의 공간에서 쉬기도 하고 이동도 해야 하니까 켄넬, 먹어야 하니까 사료와 간식, 물그릇과 밥그릇, 그리고 새끼 강아지여서 이가 간지러울 테니 마구 씹어도 되는 장난감 몇 개, 배변해야 하니 배변패드. 이렇게 머릿속으로 정리해 갔고, 동물보호단체에서 추천하는 퍼피용 사료 브랜드 몇 가지를 메모해 갔다.

용품점에 들어서서 두어 바퀴를 돌며 전체적으로 어떤 것들이 있는지 둘러보았다. 남편과 함께 고르러 왔으면 좋았을 텐데 생각하며, 남편에게 물그릇과 밥그릇 세 가지 종류를 사진 찍어서 보냈다. '어떤 걸로 사면 좋을까?'하고. 사진 찍는 '찰칵' 소리에 '사진 찍으시면 안 돼요'라는 사장님의 목소리가 카운터 쪽에서 들려왔다. 높은 선반들로 사장님의 얼굴이 보이지는 않았다. 그래서 나도 보이지 않는 사장님 얼굴 대신 허공을 바라보며 '어떤 거 사면 좋을지 남편한테 물어보려고 찍었어요. 고르고 나서 삭제할게요'라고 목소리를 보냈다.

"어떤 목적으로 쓰시는지 알았으니까 괜찮아요."

사장님은 사진을 찍어 SNS에 포스팅하는 사람들이 불편한 모양이었다.

한 바퀴 더 둘러보고 마음속으로 어떤 것들을 살 지 정해놓았고, 이제 한 번에 모든 물건을 담기만 하면 되었다. 카트를 가지러 용품점 입구로 갔는데, 그때 보인 강아지 카트조차 사랑스러웠다. 일반 대형마트에 가면 카트에 아이를 태울 수 있는 자리를 펴서 만들 수 있는 것처럼, 반려동물을 태울 수 있는 칸이 카트에 같이 붙어 있었다. 속으로 '나도 나중에 무디랑 같이 쇼핑하러 오면 좋겠다'라고 생각했다. 무디가 직접 마음에 드는 장난감도 고르고 간식도 고르면 솟겠다 싶었다. 행복한 미래를 꿈꾸며 사료를 비롯해 필요한 것들을 카트에 담았다.

몇 가지는 사장님의 추천을 받는 것이 좋을 것 같아 도움을 요청했다.

"켄넬 어떤 거 사면 좋을지 추천해 주실 수 있나요?"

내 물음에 사장님께선 곧장 다가오셨고, 켄넬은 너무 큰 것보다는 강아지에게 딱 맞는 사이즈를 고르는 것이 좋다고 하셨다. 사장님께 강아지 사진도 보여드렸다. 사장님은 사진을 보더니 강아지가 지금 3kg인데 믹스견이라 정확히는 모르지만 7kg 정도까지는 클 것 같다며, 클 것을 대비한 사이

즈의 켄넬을 추천해 주었다. (이때는 몰랐지만, 무디는 우리 집에 온 지 2개월 만에 7kg를 돌파했다. 그리고 최종적으로 10kg도 돌파했다.)

켄넬, 방석, 배변패드 100매, 장난감 공 세트, 터그용 장난감, 물그릇, 밥그릇, 간식 몇 가지, 사료, 샴푸를 구매했다. 가성비 좋지만 적당히 질 좋은 물건들로 고르다 보니 금액이 꽤 나왔다. 남편은 이 날 오전에 필요한 것들을 사라고 우리집 공용 카드에 돈을 추가 입금해 두었는데, 아마 이 정도 금액은 될 것이라는 걸 미리 알고 있었던 것 같다.

켄넬에 구매한 것들을 다 넣어 들고 가려고 보니 무게가 꽤 되었다. 체감상 10kg은 되는 것 같았다. 용품점에 오는 길은 가볍게 달려왔지만, 집으로 돌아가는 길은 몇 번을 쉬어 갔다. 왼팔 오른팔 바꿔가며 들었다. 그래도 마음은 여전히 설렜다.

저녁쯤 보호소 대표님에게 문자가 왔다. '도착했습니다.' 나는 집 앞으로 내려갔고, 대표님은 트렁크에서 무디가 들어

있는 켄넬을 조심히 내려주었다.

"겁이 조금 있는 편이에요. 오늘은 먼저 다가가지 마시고, 가만히 쉬게 해 보세요. 잘 부탁드립니다."

'무디야, 같이 집에 가자.'

이때까지만 해도 나는 무디와 앞으로 어떤 일을 겪을지 전혀 상상하지 못했다.

나는 이 집에 납치된 걸까

무디가 우리 집에 온 첫날

무디가 들어있는 켄넬을 집으로 들고 올라왔다. 집에 와서 켄넬 문을 열어주고 멀리 떨어져 지켜봤는데 무디는 무서운 지 몸을 최대한 웅크리고 있었다. 켄넬에 뚫린 구멍들 사이로 주변을 둘러보더니 이내 '철퍼덕'하고 주저앉았다.

김제에서 출발해 인천을 들렸다가 도착했으니, 장시간 차를 탄 것만으로도 힘들 것 같았다. 목마르고 배도 고플 것 같아 사료와 물을 바로 앞에 놓아주었는데, 사료를 쳐다보기만 할 뿐 입에 대지 않았다. 건강수첩을 받아보니, 종합예방 접종 1차와 코로나 장염, 광견병 주사를 맞고 왔다고 되어 있었다. 내가 코로나 백신을 맞았던 때를 떠올렸는데, 사람도 병원에서 접종하고 오면 진이 빠지는데 무디도 마찬가지일 것 같았다.

아무래도 무디에게 시간이 필요할 것 같아 그냥 두기로 했다. 피곤했는지 무디는 켄넬 안에서 그대로 잠이 들었다. 그렇게 1시간 정도 지났을까, 무디는 일어나서 다시 두리번거리더니 물을 마시기 시작했다. 다행히 밥을 먹기 시작했고, 사료를 하나도 남기지 않고 잘 먹어 그제서야 나도 마음을 놓았다.

무디가 켄넬에서 나와 방석에서 편히 잠들기를 바라며, 밖으로 나오도록 유도해 봤지만 무디는 오히려 더 뒷걸음질을 칠 뿐이었다. '그래, 오늘은 네가 자고 싶은 데서 자는 수밖에'하고 서재로 쓰는 방구석 어두운 곳에 켄넬을 옮겨 주었더니 무디가 밖으로 나왔다! 온 집안 냄새를 맡으며 돌아다녔고, 집안 곳곳에 깔아 둔 배변패드 위에 배변까지 보고 집안 탐색을 이어갔다. 지금 와서 그때를 떠올리면, 무디는 숨을 공간을 찾아다녔던 것이다.

무디는 온 집안을 돌아다니더니 침대 밑 공간을 찾아냈고, 침대 밑에 들어가 나올 기미를 보이지 않았다. 억지로 끌어내지 않고 그냥 두었다. 무디는 예상보다 더 겁이 많았다.

사람의 작은 움직임에도 화들짝 놀랐고, 사람이랑 눈이 마주치면 후다닥 침대 밑으로 뛰어 들어갔다.

보호소에서 지내며 올라온 사진을 봤을 때도, 무디는 사람을 반기기보다는 겁이 많은 아이인 걸 알 수는 있었지만 내 예상보다 더 겁이 더 많아 보였다. 다시 무디의 경험을 떠올려보면, 무디는 뜬장에서 시간을 함께 보낸 네 마리의 개가 무디 세상에서 전부였을 깃이고, 모건도 없었기에 사회화 시기에 엄마에게 배워야 할 것을 배우지 못했을 것이다. 그러다가 보호소에서 많은 친구들을 만났으니, 사람보다는 개 친구들이 훨씬 편한 것이 당연하다. 그러던 어느 날, 친구들을 뒤로한 채 우리 집으로 홀로 보내졌다. 무디는 '한 공간에서 저렇게 커다란 거인 두 명이랑 지내야 한다니, 괜찮을까?'라고 생각했을 것 같다.

"간식을 미끼로 주고 나를 또다시 잡아가서 어떻게 하지는 않을까?"

"저 사람들은 뭘 하고 있는 거고, 무슨 말을 하고 있는 걸까?"

이렇게 작게 되뇌며 침대 밑에서 뜬 눈으로 밤을 지새우지 않았을까 생각했다.

병원에서 파보 바이러스를 치료받을 때와 예방접종 맞을 때 만난 사람들이 손으로 무디를 잡아서 무언가를 하려 했을 테니, 사람 손에 대해 안 좋은 기억이 생겼을 수도 있고, 무디는 그 사람들이 무디 아픈 병을 치료해 주려는 좋은 의도였다는 것도 알 리 없으니 사람이 무서운 게 당연하겠구나, 생각하며 나도 잠이 들었다.

※ 뜬장: 바닥까지 철조망을 엮어 배설물이 그 사이로 떨어지도록 만든 장

- 바닥에 구멍이 뚫려 있어 배설물 처리 등 관리가 용이하다는 이유로 동물을 집단 사육하는 개 농장, 번식장 등에서 주로 사용한다.

- 자세한 내용이 궁금하다면, 남기자의 체험리즘 기사를 읽어보길 추천한다. <'개농장 뜬장'에 갇혀⋯. 음식물 쓰레기를 먹어봤다 [남기자의 체험리즘]>

무디의 이중생활 시작

강아지와 친해지려면 강아지가 자는 곳에 이불 깔고 누워 자는 게 좋다는 한 훈련사의 영상을 보고 거실에 이불을 깔았다. 그래서 어떤 분은 처음 집에 온 강아지가 적응을 못하고 신발장 근처에서 자서 현관 쪽에 이불을 깔고 며칠을 잤다는 후기도 본 적 있다. 남편과 나는 당직을 서듯 번갈아가면서 바닥에서 자기 시작했는데, 계획적으로 한 것은 아니고, 무디랑 친해지고 싶어 자연스럽게 우리 집 당직이 생긴 것이다. 그러다 무디가 온 지 한 달쯤 됐을 때 우리 둘 다 허리가 쑤시고 등이 배기기 시작해 잠은 편하게 자자며 당직을 그만두었다.

왜인지 아이를 낳고 부모가 100일 동안은 잠을 제대로 못 자서 좀비가 되는 기간이 있다고 했는데, 조금은 알 것 같다. 매일 밤 새로운 모습을 보여주는 무디 덕에 며칠 밤 동안 잠을 설치기 일쑤였다. 무엇보다 나는 한 번 잠들면 업어 가도 모른다고 할 정도로 깊게 자는 편인데, 무디가 오고 나서는 무디가 걱정돼 예민해졌고 몇 번씩 새벽에 깨곤 했다.

무디가 온 첫날과 둘째 날은 잠을 한숨도 못 잤다. 침대 밑에 구부정하게 엎드려 있는 무디가 심히 신경 쓰였다. 그 다음날은 무디가 침대 밑에서 서랍장 밑으로 자리를 옮겼지만, 좁은 공간 탓에 무디가 움직이다가 머리를 서랍장에 쿵쿵 찍는 소리가 들렸다.

무디는 첫날과 둘째 날 밤에 친구들을 그리워하는 것처럼 하울링을 했고, 셋째 날부터는 하울링을 하지 않았지만, 지금 떠올려도 하울링 하던 무디의 모습은 짠하다. 침대 밑에서 미동 없이 하루 종일 있다가 사람들 자는 밤에만 집을 돌아다니며 하울링 하던 모습을 보며 우리 집에 얼른 적응하기를 바랄 뿐이었다.

그리고 셋째 날 아침, 내가 당직을 선 날이었는데, 아직 해가 안 드는 어두운 아침, 어떤 기운을 느껴 잠에서 깼다. 눈만 떴는데 크고 작은 검은 덩어리들이 거실 바닥에 마구 흩어져 있었다. 그 모습을 보고 잠이 확 깨서 나도 모르게 '헉' 하는 소리가 나왔다. 무디도 나의 인기척을 느꼈는지 무디는 도망도 안 가고 그저 얼음이 되어 있었다. 어두워 뭔지 잘 보이지 않았다.

　'설마 무디가 똥을 싸고 본인의 똥을 가지고 논 걸까?'했다. 검은 덩어리들을 보고 가장 먼저 떠오른 게 똥이었기 때문이다. 불을 켜서 보니, 화분에 들어있던 흙이었다. 사람 키 절반만 한 화분이 하나 있는데, 화분 안에 있는 흙을 퍼서 가지고 놀고 식물 잎도 깨물며 신나게 뛰어 놀고 있었던 것이다.

　이 광경을 보니 안심이 되어 웃음이 났다. 한창 에너지 많을 새끼 강아지가 침대 구석에만 있으면 얼마나 답답할까 싶었는데, 사람들이 자고 있는 밤에 안전하다 느꼈는지 밤만큼은 집 곳곳이 무디의 놀이터가 된 것이다.

　그리고 무디의 낮과 밤이 다른 이중생활은 이때부터 시작

되었다. 사람들이 잠들면 '파티다!'하고 서랍장 밑에서 나와 온갖 놀이를 시작한다. 처음에는 깡충깡충 토끼처럼 가볍게 뛰던 무디가 이제는 '다다다다' 뛴다. 이 모습을 보고 얼른 반려견 매트와 러그를 구입했다. 그리고 이제 밖에 나가서 저렇게 뛰면서 좋아할 무디를 떠올린다.

우리 집이 조금은 편해진 걸까?

무디의 1주 차 생활

무디에게 신뢰를 주기 위해 무디가 싫어할만한 행동은 최대한 하지 않는다. 무디가 집을 편안하게 느끼고, 사람을 편안하게 느낄 수 있도록 해주고 싶기 때문이다. 무디가 가끔 먼저 다가와 냄새를 맡으면 가만히 앉아 냄새를 맡게 해 주었다. 처음에는 사람 눈만 마주치면 무서워서 도망갔기에 눈도 마주치지 않고 소리도 내지 않고 움직이지도 않았다. 무디가 먼저 나와 집을 돌아다니는 시간은 하루에 한 번, 아주 귀했기 때문에 그럴 수밖에 없었다.

무디에게 다가가면 무디는 이미 더 이상 뒤로 갈 곳 없는 서랍장 안에서조차 뒷걸음질 비슷하게 쳤다. 그래서 항상 무디는 턱살이 접혀 몇 겹의 턱을 가진 강아지가 되곤 했다.

그래서 굳이 가깝게 다가가거나 만지려고 하지도 않았다. 정면으로 눈을 똑바로 쳐다보며 다가가는 것도 강아지들에게 불편할 수 있어, 간식을 놔줄 때도 옆으로 돌아가고 등을 돌리고 조심스레 놔주고 자리를 피해 주었다.

 그러다 보니 무디는 한 번씩 스스로 바깥으로 나와 돌아다니며 집안 곳곳 냄새를 맡았다. 무디가 오후에 나와 배변을 하고 돌아다니는데, 냉장고 문이 쾅하고 닫혔다. 무디는 소스라치게 놀라며 다시 서랍장 밑으로 뛰어 들어가 한동안 감감무소식이었다. 그러다 헨젤과 그레텔에서 빵조각으로 길을 놓은 것처럼 거실에 사료를 뿌려놓으니 냄새를 맡았는지 다시 바깥으로 나왔다. 돌아다니며 사료를 먹더니, 이번에는 화장실 앞에 놓인 발매트에 쉬를 했다. 배변 실수라는 생각이 전혀 안 들고, 그저 바깥으로 나와 배변을 하는 모습이 기특하기만 하다. 기분이 좋아졌는지 꼬리가 올라갔다. 그러다 거실 바닥에 앉아 몸을 긁기 시작했다. '거실에 나와 앉아 머물기까지 하다니?'하고 속으로 기뻐하고 있었다. 바닥이 미끄러웠는지 옆으로 밀려 공기청정기에 무디 몸이 닿았고, 무디는 화들짝 놀라 '이게 뭐야?!'하는 표정으로 공기청정기를 잠시 쳐다보더니 방으로 뛰어 들어갔다.

　무디는 3시간이 지난 후에야 다시 나왔다. 노즈워크를 만들어주니 무디는 거실에 나와 노즈워크를 물고 방에 들어가 한참을 가지고 놀았다. 집중해서 놀더니 무디는 처음으로 배를 보이며 누워 잤다. 집에 온 지 4일 차가 됐을 때였다. 그제서야 마음이 조금 편해진 모양이었다.

사람 주변에 계속해서 사료를 뿌려두니 점점 더 사람 가까이에 오기 시작했다. '사람 가까이와도 안전하다는 것을 알게 된 걸까? 아니면 무디에게 자신감이 붙기 시작한 걸까?' 이유는 중요하지 않고, 무디와 나 사이의 거리가 좁혀진다는 것만 중요했다.

첫 주에는 반복학습을 했다. 간식을 사람 주변에 뿌리고 스스로 가까이 오면 손에 간식을 올려 주었다. 무디에게는 '삼 세 번 법칙'이라는 게 있다. 고민을 두 번 하고 세 번째에 간식을 먹는다. 사람 손에 간식을 올려두면, 첫 번째는 와서 냄새 맡고 돌아가고, 두 번째도 고민을 하다가 돌아간다. 그리고 세 번째가 되어서야 간식을 재빠르게 물고 자리로 간다.

먹고 자고 싸는 일상

무디의 1주 차 루틴

배변은 무디가 보호소에서 배변패드를 사용해 봐서 그런지, 배변패드에 잘했다. 집안에서 어떤 곳을 무디가 잠자는 곳으로 생각하고, 어디를 배변하는 곳으로 생각할지 몰라, 배변패드를 집안 곳곳에 펴 놓았다. 그리고 그 위에 사료를 올려두니 무디가 사료를 먹을 돌아다니다가 발의 감촉으로 알아채고 그 위에 배변을 했다. 그리고 서재에 있는 배변패드에만 오줌을 누는 것을 보고 한 곳으로 배변 장소를 확정했다.

물론 예외의 상황도 있었다. 집에 있는 거실 러그, 화장실 앞 발매트, 무디의 잠 자리인 방석에도 쉬를 했다. 누가 말하길, 러그는 강아지에게 '대왕 배변패드'일 뿐이라고 했다.

그 이후, 러그를 치우니 무디는 배변패드에 정확하게 잘했다.

남편은 무디 배변하는 걸 보더니 이런 말을 했다.

"나는 아기를 낳으면 기저귀는 어떻게 갈아주고 똥은 어떻게 닦아줄까 상상이 안 됐어. 냄새나고 싫지 않을까 했는데, 무디 똥을 보고 알았어. 무디 똥 싸놓은 걸 보는데 그것만으로 너무 귀여운 거야."

남편과 나는 소파에 앉아 TV를 보고 있었는데, 무디가 나와 자리를 잡더니 거실 러그에 쉬를 했다. 그 모습을 지켜보는 우리는 둘 다 눈빛 교환하며 속으로만 놀라고 겉으로는 소리도 내지 않았다. 무디는 우리 집을 편안하게 느끼지도 않는데, 쉬를 할 때 소리를 내면 다른 의미를 받아들일 수 있을 것 같아서였다. 무디가 방에 들어가고 나서야 우리는 당황함이 섞인 웃음소리를 내면서 자연스럽게 러그를 화장실로 가져가 빨았다.

무디의 잠자는 장소를 바꿔주기로 했다. 아무래도 침대 밑이나 서랍장 밑은 불편하기도 하고, 무디가 무서울 때마다 구석진 곳으로 들어가는 것을 방지하기 위해서였다. 켄넬 안에 간식을 놓아주니 이번에도 삼 세 번 법칙이 통했다. 처음에는 뒷다리를 켄넬 밖에 고정하고 머리만 쑥 넣어 간식을 먹었다. 두 번째에는 몸을 반쯤 넣어 간식을 먹었고, 나중에는 켄넬에 완전히 들어가 돌아 나왔다. 그렇게 무디는 켄넬에 적응했고, 켄넬에서 잠을 잤다.

서랍장 밑이 아니라 켄넬에서 자기 시작한 것은 희소식이었으나, 무디는 이때부터 '켄넬 분리불안'을 앓았다. 켄넬에서 나오면 불안해했고, 켄넬에서 아예 나오지를 않았다. 오히려 다른 강아지들은 켄넬 적응이 잘 안 된다고 하는데, 무디는 오히려 켄넬과의 분리불안이 생겼다.

그렇지만 무디만의 마음 편히 쉴 공간이 생긴 것은 무디에게 꼭 필요한 일이었고, 병원을 갈 때는 켄넬만 들고 가면 되니 병원 가는 일은 어렵지 않았다. 차로 이동할 때 무디는 켄넬 안에 엎드려 잠을 청했다.

같이 잠자는 거 괜찮아?

무디의 2주 차 수면생활

무디의 켄넬은 거실에 있다. 그리고 무디는 켄넬 안에만 있다.

무디 온 지 9일 차, 나는 오후에 낮잠을 자러 침실로 들어갔는데, 그러자 무디가 애착인형을 물고 따라 들어오더니 침실 안 모서리 쪽에 자리를 잡았다.

그러고 보니 무디는 사람과 잠자는 걸 좋아한다. 밤에는 꼭 사람을 따라 침실에 들어와 잤다. 그런데 낮에도 사람을 지켜보다가 따라온다는 것을 알게 됐다.

나는 침대에 누워 가만히 있는다. 그러자 무디도 침실 화장실 발매트에, 애착인형을 베개 삼아 눕더니 잠이 들었다.

그런 무디를 보고 침대에서 내려가 무디 옆에 이불을 깔고 누워보았다. 무디는 도망도 가지 않고 그 자리에 그대로 있었다. 무디 옆자리를 내어준 게 고마웠고, 옆에 누워 있는 무디를 가만히 보다보니 나도 모르게 스르륵 잠에 들었다. 1시간 정도 지났을까, 무디가 여전히 곤히 잠들어있는 것을 보니 움직일 수가 없었다. 내 인기척이 나면 무디가 깰 것이 분명했으니 말이다. '무디가 옆에까지 오는 것을 괜찮다고 느끼니, 만지는 것도 괜찮지 않을까?'하는 생각에 무디를 쓰다듬어 보려 했더니 무디는 잠을 자다가 인기척을 느꼈는지 화들짝 놀라며 켄넬로 뛰어 들어갔다.

무디 온 지 10일 차 되던 날, 남편이 당직을 섰고, 무디의 켄넬 옆 거실 바닥에 이불을 깔고 잠을 잤다. 그리고 나는 침실에서 잤는데, 무디는 과연 어디에서 잠을 잤을까? 남편이 있는 거실, 내가 있는 침실, 무디의 선택은? 무디는 침실에 들어와 잠을 청했다.

침실에서 자는 무디를 보자, 거실 바닥에서 등을 배겨가며 자고 있는 남편의 수고가 헛되지 않기를 바라는 마음에, 나도 남편이 있는 거실로 나갔다. 거실 소파로 자리를 옮겨 잠을 청하자, 무디도 따라 거실로 나왔다. 그리고! 무디는 남편의 발 냄새, 손 냄새, 머리 냄새를 맡고, 한참을 고민하는 것처럼 보이더니, 남편 발 있는 쪽에 자리를 잡고 누웠다!

'무디도 우리랑 잠자는 거 좋나 봐!' 속으로 기뻐 잠이 다 깼다. 무디는 남편과 이불을 공유했고, 잠시 후 남편이 뒤척이자 켄넬로 들어갔다.

내가 켄넬이 있는 거실이 아닌 다른 장소로 옮겨가면, 무디가 파란색 애착인형을 물고 따라 들어오는 모습이 귀여워 일부러 낮 시간에도 나는 침실로 향했다. 드레스룸에서 저녁식사를 한 적도 있다. 무디는 거실을 제외한 다른 곳으로 이동하면 따라왔다. 화장실을 가면 따라 들어왔다. 이제서야 추측해보면, 내가 대부분 시간을 거실에서 보내다 보니, 무디도 거실에 있는 켄넬에 있었던 것 같다.

이렇게 무디가 주는 소소한 기쁨이 쌓여갔다. 무디가 조금씩 용기를 낼수록 행복해졌다.

다시 원점으로 돌아가다.

무디의 2~3주 차 생활

다시 제자리로 돌아간 것 같다. 무디는 손에 있는 간식도 줄곧 잘 먹었고, 켄넬에서 나와 사람을 따라 돌아다니기도 했는데, 어느 날부터는 아예 켄넬에서 나오질 않는다.

몸이 커진 무디에게 켄넬은 불편해 보였고, 켄넬 안에서 몸을 돌돌 말아 누워 있는 무디를 보면, '몸은 불편해도 마음은 편하겠지' 생각했다. 켄넬은 이동용으로 사용하기엔 좋지만, 집에서 잠을 자는 하우스로 사용하기엔 좀 아쉬운 크기였다.

무디가 우리 집에 처음 왔을 때 3kg이라고 해, 7~8kg까지 커서도 사용할 수 있는 조금 큰 크기의 켄넬을 구입했다. 마치 아기 옷을 한 치수 크게 사는 것과 비슷하다. 그런데 무디는 밥을 잘 먹어준 덕분에 두 달 만에 7kg이 되었고, 건강한 성장기를 보내고 있는 무디에게 켄넬은 금방 작아졌다. 켄넬에 들어가면 발을 뻗고 자지 못했고, 켄넬에 들어가서도 넓게 눕는 게 아니라, 가장 끄트머리에 몸을 구겨 넣어 놓았기 때문에 굉장히 불편해 보였다. 켄넬에서 잠자고 있는 무디의 모습을 표현하자면, 기차나 버스에서 머리 제대로 기댈 곳 없어 꾸벅꾸벅 졸면서 가는 모양새라고 할 수 있다. 아무튼 무디는 하루 종일 단 한 번도 켄넬에서 나오지 않은 날도 꽤 있었다.

켄넬 안에서 무디가 뒷걸음질 치지 않고, 몸의 방향이 앞으로 쏠리게끔 바뀌어 그것만으로 기뻤는데 어느 순간 무디는 다시 뒷걸음질을 쳤다. 일부러 켄넬 안도 자주 들여다보지 않았고, 켄넬 안으로 손을 넣지도 않았는데 무디가 왜 그러는지 도통 알 수 없다. 다시 원점으로 돌아간 것 같아 힘이 빠졌다.

특히 겁이 많은 강아지는 사람의 예측 불가능한 행동을 무서워하기 때문에 루틴을 가지고 매일 똑같은 행동을 반복하는 것이 마음을 편안하게 해주는 데 도움이 된다고 한다. 그래서 아침에 일어나 창문을 열어 해가 들어오게 하고 이부자리를 정리했고, 청소기를 돌렸다. 커피를 내리고 TV를 켜 음악을 튼다. 그런데 이런 나의 행동이 무디에게 도움이 되고 있는 건지 도무지 알 수 없어 마음이 복잡했다.

무디는 아주 미세한 움직임이나 소리에도 예민했기 때문에 더 일부러 청소기를 돌렸다. 무디는 간식을 주려고 간식봉지를 부스럭대면 무서워 도망갔다. 내가 알던 강아지는 간식 봉지 부스럭 대는 소리만 들어도 좋아했는데 무디는 아니었다. 남편이 무의식적으로 **남편도 모르게** 발가락을 까딱거린 적이 있는데 그걸 보고 도망갔다. 무디는 화장실 변기 물 내리는 소리는 특히 더 무서워한다. 하루에도 몇 번씩 물을 내리는데 계속 들어도 익숙해지지 않는 것 같았다. 아니면, 물을 내린 후 문을 열고 나오는 사람을 무서워하는 것일수도 있다.

한 번은 로봇청소기 구입을 고민한 적 있다.

"로봇청소기 돌리면 무디가 기겁을 하겠지?"

남편은 로봇청소기를 살지 말지 고민하자마자 바로 무디를 떠올렸다.

"그런데 무디가 가장 무서워하는 것 1순위가 로봇청소기가 되면 우리가 2순위가 될 수도 있으니까 좋은 것 같기도 한데? 로봇청소기를 1순위로 만들어버리고, 우리를 2순위로 밀려나게 하자."

장난이었지만 사실이 조금 섞이기도 했다. 무디가 무서워하는 로봇청소기로부터 보호해 줄 수 있는 보호자가 되는 상상을 잠깐 했다. 아무래도 무디가 가장 무서워하는 건 사람이었고, 우리 집에서는 나와 남편이었기 때문이다.

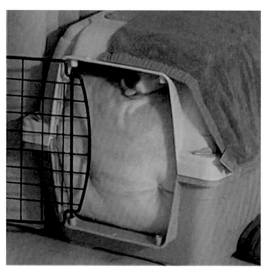

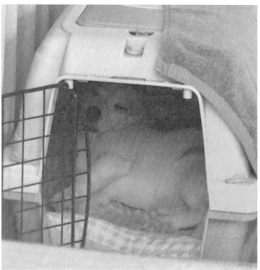

무디가 없어졌어!

병원 첫 방문기

"무디가 없어!"

아침에 일어난 남편이 놀라서 말했다. 남편에게 아침 루틴이 생겼다. 밤사이에 무디가 실컷 가지고 논 장난감을 제자리에 두고, 밤에만 싸놓는 무디의 똥을 치우고, 물을 새로 갈아주고, 밥도 채워준다. 그런데 무디가 보이지 않았다.

'설마…'하고 침대 밑을 보니 그곳에 있었다. 침대 밑에 들어가지 못하도록 막아두었는데 틈을 비집고 들어간 모양이었다. 켄넬에 잘 들어가던 무디가 다시 침대 밑으로 들어간 이유는, 전날 다녀온 병원을 떠올릴 수밖에 없었다.

무디 2차 예방접종을 위해 병원을 방문했다. 병원까지 이동하는 것은 쉬웠다. 우선은 무디를 켄넬에 넣으려고 포획작전을 벌이지도, 목줄을 채우려고 하지도 않아도 됐다. 무디는 켄넬 안에만 있기 때문에, 켄넬을 들고 가기만 하면 됐다. 켄넬 안에 무디의 애착인형을 넣고 방석 대신에 배변패드로 바꾸었고, 출발 전에 미리 켄넬 문을 닫아두었다.

잠시 후 켄넬을 들어 올리자, '아이고 냄새. 무디 똥 싼 것 같아'라고 남편이 말했다. 켄넬을 드는 것만으로 무디는 무서웠나 보다. 똥을 치워주고 차에 켄넬을 싣자 무디는 포기한 듯 그 자리에 엎드렸다. 뜬장에서 보호소까지, 보호소에서 우리 집까지 차를 타 본 경험이 있어서 그런지 무디는 가만히 엎드려 있기만 했다. 멀미도 없고 낑낑거림도 없는 무디를 보며 안쓰럽기도, 기특하기도 했다.

주변 병원 리뷰를 꼼꼼히 모두 읽어보며 신중하게 선택한 병원에 도착했다. 좋은 의사 선생님을 만나길 바라는 마음으로 진료실에 입장했고, 수의사는 무디의 입장을 충분히 공감해 주며 무디의 속도에 맞게 진료를 보자고 해주었다. 그는 도리어 '밥도 안 먹고 배변도 안 하고 놀지도 않는 강아지는 문제가 있는 거죠. 그런데 무디는 밥도 잘 먹고 배변도 잘하고, 사람이 잠을 잘 때여도 잘 뛰어 노니 잘하고 있네요. 조금만 더 친해져 보세요'라며 격려를 해주었다.

무디 진료를 보기 위해 켄넬을 열 수밖에 없었다. 켄넬을 열자, 나는 무디와 눈이 마주쳤는데 무디의 눈빛을 바로 읽었다. 무디는 '무서워, 도망가고 싶어. 어디로 도망가지'라는 눈빛이었다. 무디가 도망갈 때마다 그전에 잠시 고민하는 그 눈빛이었다. 그리고 무디는 진료실 안에서 도망을 치기 시작했다. 진료 테이블 위에서 떨어지면 위험하기 때문에 의사가 무디를 잡았는데, 그 순간 집에서 켄넬을 들어 올렸을 때 맡았던 냄새가 풍겨왔다. 무디가 똥을 지렸다. 의사가 무디를 진정시켜보려 했지만 무디의 눈에는 무서움이 가득했고 우리는 예방접종을 다음으로 미루기로 했다.

"무디가 안았을 때 이빨도 안 드러내고 입질도 없어서 빠르게 접종을 해볼까 했는데, 아무래도 겁이 많고 숨으려고 하는 마음이 강해서 접종을 한 주 미루는 게 좋겠어요. 사실, 무디 같은 강아지는 예방접종 보다 사람과 가까워지는 게 더 중요한데, 이미 1차를 시작했기 때문에 2차를 미룰 수는 없거든요. 병원에 대한 기억을 최대한 덜 나쁘게 해주고 싶어서 오늘은 더 억지로 밀어붙이지 않았어요."

수의사는 무디가 테이블이나 사람 품 안에서 떨어지면 위험할 수도 있기에, 병원에 방문했다는 것 자체에 의의를 두자고 했다. 그리고 다음 주 재방문하기 전까지 최대한 무디와 가까워지도록 해보라고 했다. 병원 다녀온 날은 항상 무디에게 평소보다 더 맛있는 보양식을 주었는데, 무디는 항상 병원 다녀와서 바로 밥을 먹고 또 바로 잠을 청했다.

그렇게 해서 무디는 그널 밤, 침대 밑으로 들어가 산 것이다. 추측하길, 무디는 켄넬도 안전하지 않다고 느낀 것 같았다.

게다가 무디는 병원을 다녀온 이후로, 사람 손에 있는 간식은 절대 먹지 않았다. 켄넬 밖으로 나오는 횟수도 현저하게 줄었다. 1주 후 다시 찾은 병원, 무디는 의사와 병원 직원 손에 안겼다기보다는 잡혔다는 표현이 정확하겠다. 잡혀 주사를 맞았다. 의사는 무디가 겁이 많을 뿐 공격성은 전혀 없는 순한 강아지라고 하며, 주사 맞고 가볍게 청진하고 발톱을 깎아주었다고 했다.

나는 극성 엄마였다.

감정의 파도

처음에는 '무디가 한 3일이면 괜찮아지겠지' 생각했다. 그러다가 3일이 지났을 때, '무디 성향이라면 2주는 필요하겠어'라고 생각했다. 그리고 2주가 지났을 때, '무디는 워낙 겁도 많고 사람과 교류를 해 본 적도 없으니 한 달 정도는 더 지켜봐야겠다' 생각했다.

한 달이 지났을 때, 무디는 시간이 지날수록 괜찮아지는 게 아니라 오히려 안 좋아지는 것처럼만 보였고, 나의 감정은 대폭발 했다. 침대에 누워있는데 감정이 북받쳐 올라서 눈물이 났고, '나 너무 힘들어…'라는 말이 나왔다. 지나고 보면 한 달이라는 기간이 짧게 느껴질 수 있지만, 그 당시의 하루하루 동안은 수많은 감정이 휘몰아쳤다. 실망, 자책, 연

민, 우울, 기쁨, 행복, 희망, 걱정, 염려, 분노, 슬픔, 온갖 것들이 마음속에 붕붕 떠다녔다.

사실 한 달이라는 기간은 무디와 상관없이 내 마음대로 정한 기간이었다. 한 달이 지나고 감정이 파도친 것은 책이나 영상을 너무 많이 본 탓도 있었다. 무디와 비슷한 성향의 강아지가 등장하는 영상이라면 찾아서 모두 봤는데 아무리 겁이 많은 강아지여도 3일이면 적응하는 모습을 보여줬고, 어떤 강아지는 2주 동안 구석에 있다가 그냥 두었더니 스스로 나와 돌아다니기 시작했다. 어쩌면 나는 이런 다른 강아지들을 기준 삼아 무디를 기다렸기 때문에 오히려 무디에게 집중하지 못했을 수도 있다.

머리로는 '무디는 무디일 뿐이고, 다른 강아지는 다른 강아지일 뿐이야'라고 되뇌면서도, 마음은 그렇지가 못했다.

어떤 날은 반려견 관련 책을 주문해 하루에 3권을 모두 읽기도 했고, 이때쯤엔 유튜브 영상을 100개는 족히 넘게 본 상태였다. '내가 잘 몰라서 그런가, 우리가 뭔가를 잘못해줘서 무디가 용기를 내기 어려운 걸까'하는 염려에 더 많이 공부해야겠다고 생각했기 때문이다.

'무디가 보호소에서 지내는 것보다, 우리 집에 임시보호를 와서 시간이 더 늦기 전에 사람과 같이 지내면서 교감해 보고 입양 갈 기회를 만들어준다는 것만으로도 잘하고 있어'라고 생각했는데, 또 어느 순간은 '무디가 우리 집이 아니라 강아지를 더 잘 아는 집에 임시보호를 갔다면 훨씬 빨리 적응했을까?'라며 자책도 밀려왔다.

오랜만에 느껴보는 감정의 동요와 파도에, '나 사실 극성 엄마일지도 모르겠다'고 생각했다. 나의 철칙은 집착하지 않고 구속하지 않고 독립성을 길러주는 것이라고 항상 다짐해 왔고, 도움만 주면 스스로 잘할 테니까 응원해주면 된다고 생각했다. 그런데 무디의 일거수일투족에 다 관심 가지고 예민해져서 잠도 못 자고 있는 나의 꼴을 보니, 나는 그저 극성 엄마였다. 그런 나의 모습을 있는 그대로 인정하고 받아들이기로 했다.

겉모습이 크든 작든 생명 앞에서는 '극성'이고 '유난'이 될 수 있는 것 같다. 집에서 키우는 식물 잎이 말라 떨어지면 그 식물을 위해 해줄 수 있는 것이 뭔지 고민하게 되는 것과 비슷하다.

조카는 거북이 두 마리를 키운다. 수박이와 딸기. 내손가락 두 마디 보다도 작은 거북이들이다. 수박이와 딸기가 조카네 처음 왔을 때는 둘이 크기가 분명 비슷했는데, 어느 날 보니 수박이가 딸기보다 훨씬 더 큰 것을 쉽게 볼 수 있었다. 수박이와 딸기의 성향과 수영 능력 차이 때문이기도 했는데, 수족관에 사료를 뿌려주면 수박이는 본인이 먹을 양을 먹고 달려와 딸기가 먹으려고 하는 사료까지 먹었다. 지켜보니 수박이가 딸기의 등을 밟고 올라타 딸기가 먹던 사료까지 뺏어먹는 것을 알 수 있었다. 그렇게 수박이가 한 두알씩 더 많이 먹은 사료는 수박이를 빠르게 성장할 수 있게 해주었고, 수박이는 몸통이 더 커지자 딸기의 사료를 뺏어먹는 것도 이전보다 훨씬 더 쉬워졌다.

당시, 조카와 같이 어떻게 하면 좋을까? 고민했던 것이 떠올랐다. '딸기도 밥만큼은 잘 먹어야 되니, 밥 먹을 때는 둘을 떨어트려 놓고 먹게 해야 하지 않을까?'하며 함께 딸기를 위한 방도를 모의했었다.

그렇게 무디로 인한 감정의 파도가 한차례 지나갔고, 그러다 '무디만의 속도로, 무디의 속도에 맞춰 가보자'라고 마음을 다 잡았다.

산책을 못하지만 집에 있는 식물 냄새 맡는 것을 좋아하길래 무디를 위해
꽃을 샀다. 개는 적록색맹이라 노란색 꽃을 사 봤다.

Part 3. 유기견 입양 일기

해외 입양 신청이 들어오다.

크리스마스 이브, 가족이 되다

단체에서 연락이 왔다.

"안녕하세요, 무디 해외입양 신청이 들어와서 심사 중에 있습니다. 입양 확정시 결과에 대해서는 번복이 안 되오니 이 점 숙지하여 주시기 바랍니다. 혹여나 입양을 고려중이라면 말씀 부탁드리며, 임보자(임시보호자)님의 입양 신청 시에도 단체 내부 입양심사 기준에 맞추어 임보자님과 입양신청자님 비교 심사로 진행되는 점 참고 부탁드립니다."

해외 입양 신청이 들어왔다는 것이다. 임시보호를 시작한 지 3주가 지난 시점이었다. '이렇게 빨리 입양신청이 들어올 줄이야…' 정말 좋은 소식인데 마냥 기쁘지가 않았다. 임시보호는 좋은 입양처가 나타나길 기다리며 하는 일인데, 이렇게 마음이 싱숭생숭할 줄이야.

이런 게 정이 든다는 거구나. 사실 무디라서 더 그랬는지 모르겠다. 무디는 아직 어린 강아지인데도 먹이나 간식에 쉽게 유혹되지 않는다. 섬세하고 신중하고 영리하며 겁이 많다. 그래서 사람에게 마음의 문을 여는데 다른 강아지들보다 시간이 더 걸리는 편이다.

그래서 더 그랬는지도 모른다.

무디를 처음 데려올 때부터 남편은 정이 많은 사람이라 '한 번 우리 집에 데려왔으면 다른 곳에 못 보낼 것 같다'고 바로 입양하고 싶다고 했다. 남편은 사뭇 진지했다. 나는 무디가 좋은 곳에 입양갈 수 있도록 열심히 영상과 사진을 찍어 SNS에 올리고 홍보했는데, 그럴 때마다 남편은 '안돼, 무디 예쁜 사진 말고 못 생기게 나온 사진만 올려… 영상 편집도 열심히 하지 마…'라고 말했다.

나는 무디에게 우리 집보다 더 좋은 환경에서 살 수 있는 기회를 만들어주는 게 목적이라고 못 박으며 단호하게 말했다. 지금은 내가 휴직 상태라 무디와 보낼 수 있는 시간이 많고 충분히 돌봐줄 수 있지만, 몇 개월 후 맞벌이를 시작하면 무디가 집에 혼자 있는 시간이 많아질 것이었기 때문이다.

나의 단호함에 남편은 '3개월 동안 임시보호를 해보고 그때까지 입양처가 나타나지 않으면 우리가 무디의 가족이 되어주자'고 했고, 그러면서도 계속해서 '무디 케어 계획'을 내놨다. 우리가 없을 때 무디를 대신 봐줄 수 있는 반려견 경험이 있는 집 주변 이웃 삼촌들을 소개했고, 무디가 혼자 있는 시간을 4시간 이상으로 만들지 않을 수 있는 방법들을 말해줬다. 그러다보니 내 마음도 입양해야겠다는 쪽으로 움직이고 있던 터였다. 또, 무디가 새로운 곳에 가서 처음부터 다시 적응하는 시간이 무디에게는 힘겨울 것이라고 생각했기에 우리가 입양하는 것이 무디를 위한 게 아닐까 생각했다.

이러던 차에 해외 입양 신청이 들어왔다고 하니 눈물이

났다. 나는 누구보다 단호했는데, 눈물이 날 줄이야. 무디는 여러모로 나의 감정 주머니를 열게 해준 강아지다.

남편과 논의 끝에, 입양신청서를 제출하기로 했다. 오히려 입양신청서를 작성하면서 질문들에 답변하다 보니, 우리가 무디에게 해줄 수 있는 것들이 있고 무디만의 속도에 맞춰 천천히 행복한 강아지가 되도록 도와줄 수 있을 것이라는 자신감이 생겼다.

번외로, 입양 신청을 진행하는 과정 중, 단체 봉사자와의 전화 인터뷰가 있었는데, 단체에서 강아지가 입양 갔다가 파양 당하는 일이 없도록 신중하게 입양을 보내려고 노력하는 마음이 느껴졌다.

그리고 그렇게 크리스마스 이브, 무디는 가족이 됐다.

내 강아지는 내가 제일 잘 알아

동물훈련사에게 상담받다

무디가 한 달이 지나도 켄넬에서 나오지 않았다. 어쩌면 무디에게는 그것만으로도 만족스러웠을지 모른다. 내 입장에서는 무디랑 산책도 가고 싶고, 무디랑 같이 놀며 사람이랑 놀면 더 재밌다는 것도 알려주고 싶었는데, 무디는 뜬장 생활을 하다가 켄넬이라는 공간이 생겼다는 것 자체만으로도 충분했을지 모르겠다.

어찌 됐든, 멀리 봤을 때는 무디가 가족과 교감을 하고 사람을 무섭지 않은 존재로 인식하고, 집을 편안한 공간으로 인식할 수 있어야 하기 때문에 내가 무디에게 무엇을 해주면 좋을지 고민했다.

한 달 동안은 무디에게 아무것도 하지 않고, 종종 간식만 놔주고 먼저 다가오면 냄새 맡게 해 주고 신뢰를 깰 만한 것은 하지 않았는데, 앞으로도 무디를 믿고 시간을 더 주기만 하면 될지, 아니면 여기서 무언가를 더 해야 할지 확신이 없었다. 물론 간식을 켄넬 밖에 두어 스스로 나오도록 유도하고, 그 거리를 좀 더 켄넬과 멀리해서, 행동반경을 넓히고, 집안 곳곳에 사료를 두어 무디가 테이블 위 냄새도 맡고 돌아다니며 자신감을 키울 수 있도록 하고, 내 몸에 간식을 두어 무디가 내 몸을 스스로 접촉하게 한다든지 하는 것들은 했지만, 이 이상으로 좀 더 적극적으로 해야 하는 것이 있는지 궁금했다.

신뢰할 수 있는 동물훈련사가 있다면 추후 방문 훈련도 받을 예정이었다. 그전에, 우선은 온라인상에서 동물행동 전문가에게 상담을 받았다. 이번에도 역시 리뷰와 이력 등을 꼼꼼히 읽어보고 최대한 무디와 같은 반려견 경험이 많은 동물훈련사를 찾았다.

그는 무디의 경우 스스로 마음을 열기까지 기다리는 것보다 좀 더 적극적인 조치를 취해야 한다고 말했다.

"무디는 도망치기를 반복하고 있어 회피성향이 강해질 수 있어요. 그러다 보면 정상적인 사회화가 어려워요. 그래서 켄넬에 자꾸 숨게 해주는 것보다는 목줄 등으로 리딩을 시작하고, 낯선 환경도 경험해서 적응을 할 수 있도록 해줘야 해요."

조금은 갸우뚱했다. 그의 말에 이론적으로 맞는 부분이 있다고 생각해 무슨 말을 하고 있는지 이해는 했으나, 무디에게 적절한 방법이라고 설득이 되지 않았다.

'겁 많은 강아지나 켄넬을 벗어나면 불안해하는 강아지, 사람만 보면 도망가는 강아지 등 유튜브 영상이나 책에 나오는 사례를 보면, 스스로 마음을 열 수 있게 최대한 심리적으로 편안하게 해 주고 기다려주는 솔루션이 대부분이고, 리딩을 해 켄넬에서 끌어 꺼내는 것은 본 적이 없어 감이 잘 오지 않는다'고 솔직히 말했다.

그러자 그는 '그런 TV 방송 속에 나오는 강아지들은 진짜 문제가 있는 강아지들이 나오는 게 아니에요. 큰 문 없는 강아지들만 나오는 거죠'라는 말을 했다. 우선 전문가의 답변이니, 귀 기울여 듣고 내 머릿속에 저장해 두었다. 그러나 속으로, 방문 훈련을 받게 되더라도 이 훈련사에게는 받지 않아야겠다고 생각했다. 서로 잘 맞는 조합이 있듯, 무디와는 잘 맞지 않을 것 같았기 때문이다.

그 후, 나는 무디를 구조한 단체에 솔직하게 털어놓았다. 무디가 시간이 지났는데 좋아지고 있는지 잘 모르겠어서 전문가의 도움을 받고 싶다고 했다. 그러자 그는 훈련사와 정반대의 답변을 주었다. 개인적인 의견이긴 하지만, '정상적인 사회화'라는 것이 '좋은 대견과 대인'으로 한정 짓기에는 부적합하고 말하며, 무디에게 시간을 좀 더 주면 좋아질 것이라고 했다. 또 사람도 성향이 모두 다르듯이, 무디처럼 타고난 성향이 신중하고 조심스럽다면 무디에게 맞는 방법을 찾는 것이 중요하다고 했다.

이렇게 두 번의 대화를 끝내자, 나의 마음은 정리가 되었다. 오히려 속 시원해진 기분이었다. '내 자식은 내가 제일 잘 알아'하는 마인드로 무디를 돌보면 되겠구나. 생각해 보면, 사람 아이를 키울 때도 마찬가지다. 단적인 예를 들어, 교육면에서 선행을 해야 한다는 사람도 있을 것이고 굳이 선행을 할 필요가 없다고 하는 사람도 있을 것이다. 그런데 결국은 아이의 성향과 속도에 맞게 선택하면 되는 것이다.

그리고 무디의 입양을 결정하기 전까지는, 내가 무디의 보호자라는 생각보다는 임시보호자라는 생각이 강했기 때문에 나의 주관대로 무언가를 한다는 것이 조심스러웠다. 그러나 입양을 결정하고 나자, 현재 무디를 가장 잘 아는 사람은 나이기 때문에 그동안 봐왔던 것들을 토대로 무디에게 가장 좋은 것을 해주면 되겠다는 확신이 들었다. 만약 무디에게 문제행동이 발견되고 내 힘으로는 역부족이라는 생각이 들면 그때는 전문가의 도움을 받겠지만 지금은 아니었다. 무디는 용기를 내며 잘해나가고 있었고, 무디만의 속도로 조금씩 마음을 열어가고 있었다. 이젠 오히려, 무디와 같이 겁이 많거나 사람과의 교감이 없었어서 사람과 어떻게 교감해야 하는지 모르고 무서워하는 강아지를 케어하고 있는 보호자들에게 '잘하고 있다'고 말해주고 싶다!

다른 개 소개해주기

무디는 사람을 낯설어하지만 확실히 개와 소통하는 법은 잘 알고 있다. 결과적으로 이 사실은 무디가 집에 온 지 두 달쯤 되었을 때, 산책을 해보고 알았다. 첫 산책은 집 앞 놀이터였고, 걱정했던 것 보다 산책을 잘 해서 두 번째는 공원으로 가 산책을 했다.

공원에서 사람을 마주치면 무디는 얼음이 되 그 자리에 가만히 서 있었고, 사람이 지나가면 그제야 다시 발걸음을 시작했다. 그런데 개가 지나가자 먼저 다가가 냄새를 맡고 인사를 했다. 그리고 다른 개가 무디에게 다가오는 것도 거리낌 없어 했다. 무디가 개한테는 이렇게 적극적이라니! 신기하면서도 다행이라고 생각했다. 무디는 사람은 무서워하지만 견성(犬性)은 아주 좋은 강아지였다.

처음에는 추측이었다. 무디가 뜬장에서 다른 개들과 함께 구조됐고, 보호소에 있었을 때도 개들과 잘 지냈다고 했기에, 사람 보다 개를 편해할 것이라고 추측했다.

무디가 하루 종일 켄넬에서만 지낸 지 한 달쯤 되었을 때, 집에 강아지 한 마리를 초대했다. 무디의 세상은 켄넬이 전부였기 때문에, 시간이 너무 많이 흘러버리기 전에 조금씩 다양한 경험을 하게 해주고 싶었다. 단, 무디가 많이 무서워하거나 싫다는 표현을 하면 바로 그만둘 마음의 준비를 하고 있었다.

처음 만난 강아지는 탱이라는 이름의 무디와 나이가 비슷한 암컷 말티즈이다. 탱이는 무디가 보내는 신호를 잘 알아차리는 예의 바른 강아지였다. 둘은 멀찍이 서서 서로를 쳐다보고만 있었고, 탱이도 무작정 무디에게 돌진하거나 가까이 다가가지 않았다. 무디는 켄넬 안에 머물러 있었고 친구를 만날 준비가 안 되어 있다는 신호를 보냈기 때문에 탱이도 무디를 떠나 사람들 곁에 있었다. 그러다가 무디가 먼저 켄넬 밖으로 나와 조금씩 탱이의 냄새를 맡았고, 탱이도 조금 더 가까이 다가가 냄새를 맡았다. 무디는 아무래도 사람들이 있어 긴장도가 높아진 것인지 탱이와 인사 이상은 하지 않았고, 그러다 무디는 이내 잠이 들었다.

　무디가 두 번째로 만난 개의 이름은 카푸이다. 의도적으로 소개해 주려고 한 것은 아니나, 연말에 지인 모임이 생기며 무디를 집에 혼자 둘 수 없어 카푸의 집으로 동행했다. 카푸는 사람으로 치면 중년이라고 할 수 있는 나이의 수컷 개였는데, 보호자가 운영하는 반려견 동반 카페에 매일 함께 출근해 카페 손님이나 다른 개를 봐도 크게 흥분하지 않는, 어떤 면에서는 오히려 무관심해 보이는 개였다. 그래서 오히려 무디에게 소개시켜 주기에 적합한 개였다.

　카푸는 역시나 무디 보다 무디의 짐 가방에 관심을 보였고, 무디의 공 장난감이 마음에 들었는지 한참을 가지고 놀았다. 그러다 모두가 잠든 새벽, 무디는 새벽 5시쯤 일어나 아침 9시까지 4시간가량 집안 곳곳 냄새를 맡고 돌아다녔다. 게다가 카푸의 사료와 물을 아주 잘 먹었으며, 카푸가 깨자 카푸를 쫓아다니며 카푸의 냄새를 맡았다. 카푸는 무디가 다가와 냄새를 맡아도 여전히 무디 보다는 장난감에 관심이 더 쏠려있었었는데, 그 덕분에 무디는 편하게 카푸의 냄새를 맡은 듯했다.

무디는 공원에서 다른 개들이 뛰어 노는 모습을 가만히 서서 지켜보기도 했는데, 무디도 마음 맞는 친구를 만날 수 있겠다는 가능성이 보였다.

무디는 무슨 견종일까

물론, 견종은 중요하지 않다. 다만, 내가 좋아하는 사람이 생기면 그 사람에 대해 더 많이 알고 싶듯, 무디도 마찬가지였다. 내가 직접 겪고 있는 무디의 모습도 있지만, 견종에서 오는 기본적인 성향이나 특성, 질병 등도 있기 때문에 무디에 대해서 더 알 수 있지 않을까 생각했다.

사진으로 스캔해서 견종을 알려주는 핸드폰 앱으로 확인을 해보았는데, 빠짐없이 꼭 나오는 견종은 '잭 러셀 테리어'이다. 다른 테리어 종류나 사냥개의 일종인 개들이 주로 나왔다.

정확하게 알고 싶다면 미국의 '엠바크(Embark)'라는 DNA

검사 키트를 활용하는 방법도 있다고 한다. 미국에서 가장 많은 개의 유전자 표본을 가지고 있다고 하며, 검사 목적은 개의 유전질환 고리를 끊는 것이라고 한다.

겉으로 보기에, 무디의 귀는 아주 귀엽고, 아직 덜 큰 몸에 비해 다소 왕발인 발도 귀엽고, 털도 예쁘며, 안 예쁜 곳이 없다. 아마 모든 보호자 눈에는 본인의 개가 이렇게 보일 것이다.

다시 제대로 이야기해 보면, 무디에게서 진돗개와 잭 러셀 테리어가 보인다. 얼굴과 머리에서 코까지 흘러내리는 선 등에서 진돗개가 보이는데 짧은 다리를 보면 러셀 테리어에서 온 건가 하게 된다. 무디는 5개월 만에 근육질이 되었고, 지인은 캥거루 아니냐며 장난스럽게 말하기도 했다. 점프력도 좋고 아주 재빠르다. 뛰어 놀 때는 '다다다' 뛰어다니고, 평소에는 짖는 일이 없지만 놀다가 간혹 한 번 즐거움을 표현하는 흥분의 짖음을 할 때가 있는데 소리는 누가 들어도 중형견이다. 이중모여서 털 빠짐이 엄청나고 털 날림도 있다. 짧은 털이다 보니 이불이나 소파 등에 털이 박혀 있다.

무디는 목욕도 빗질도 아직 배우지 않았기 때문에 털이

더 많이 빠지는 편인데, 검은 옷을 입고 무디를 안으면 흰 옷이 된다. (무디를 키우며 알게 되었는데, 매일 빗질을 해도 털은 여전히 많이 빠진다.) 무디 덕에 더 부지런해졌다. 집안 청소를 더 꼼꼼히 하게 됐고, 이불과 러그 등 청소와 환기를 더 자주 하게 됐다.

무디는 깔끔하고 인내심이 많으며 신중하고 조심스러우며 영리하다. 노즈워크 할 때는 앞발을 잘 쓰는데, 양발로 노즈 워크 인형을 잡아 고정한 뒤 입으로 내용물을 물고 당겨 꺼 내 먹는다. 무디는 산책을 가르쳐준 적도 없는데, 처음부터 보호자와 속도를 잘 맞췄고, 보호자를 계속 쳐다보고 확인하 며 걸었다.

그러고 보면 결국, 사람도 한 명 한 명이 모두 다르듯, 똑 같은 사람이 없듯, 개도 그렇다. 개도 견종으로 묶이는 범주 는 있지만, 결국 개도 한 마리 한 마리마다 모두 다르고 특 별하다.

모르는 사람에게 처음으로 DM을 보내 봤다.

강형욱 훈련사가 나오는 KBS의 '개는 훌륭하다', 설채현 수의사가 솔루션을 제시하는 EBS '세상에 나쁜 개는 없다'를 많이 보게 됐다.

사회생활 하면서 어쩔 수 없이 사람들에 치이며 살게 되는데, 퇴근하고 자기 전에 동물 나오는 영상을 보면 기분이 좋아지고 정화가 된다. 그래서 '동물농장' 같은 가볍게 보며 힐링할 수 있는 프로그램 영상을 주로 봤고, 훈련사가 나와 반려견의 문제행동을 진단하고 솔루션을 주는 프로그램은 많이 보진 않았다.

경기가 불황일 때 사람들은 심오하고 진지한 드라마 보다

희망을 주고 가볍게 볼 수 있는 드라마를 더 많이 찾는다고 하는데 이와 비슷하다. 일이 바쁠 때나 잘 안 맞는 상사를 만났을 때는 퇴근하고 녹초 또는 파김치가 되기 때문에, 에너지를 쏟아야 하는 것보다는 마냥 뇌를 비우고 가볍게 웃을 수 있는 것들을 찾는다. 그래서 '개는 훌륭하다' 또는 '세상에 나쁜 개는 없다'를 보면, 주로 문제행동이 있어 교정이 필요한 개들이 나오고, 심지어 그 정도가 다소 심한 개들이 나오기 때문에 나에게는 추가적인 스트레스였다.

무디가 우리 집에 오고 나서부터는 오히려 그런 프로그램을 정주행 했다. 많이 보다 보니 각 훈련사들마다 다른 훈련 스타일이 보이기도 했다. A훈련사는 무조건 강아지가 싫어하는 행동하지 않고, 강아지가 먼저 다가오도록 하는 훈련법을 고수했다. B훈련사도 강아지가 먼저 다가오도록 유도하는 것은 유사했으나, 어느 정도는 목줄 훈련을 가미해 강아지가 보호자를 인식하도록 하고 보호자가 주도권을 가지고 적당한 리드줄 등을 활용한 훈련을 하도록 했다. C훈련사는 강아지가 겪은 과거 경험을 분석해 좀 더 맞춤형 솔루션을 제시하곤 했는데, 강아지가 과거 뜬장에서 덮고 있던 이불을 사람이 뒤집어쓰고 그 이불 안으로 들어오게 해 자연스럽게 사람을 보호자로 인식하게 해주는 등의 신선한 방법을 알려주었다.

훈련사마다 방법은 조금씩 달랐지만, 결국은 관통하는 공통점이 있었다.

"일찍이부터 모견과 떨어지면 강아지가 살아가면서 알아야 할 기본적인 것들을 어미로부터 배울 기회를 놓치게 되기도 하고, 경비견으로 목줄에 묶여 마당에 방치되거나, 식용견으로 키워져 뜬장에서만 생활해 보거나, 펫숍에서 출산만을 목적으로 번식장에서만 생활하면, 사람과 어떻게 교감해야 하는지 모를 수 있어요. 태생적으로 불안감이 높은 강아지로 태어났을 수도 있지만, 사회화 시기에 안 좋은 경험을 하며 세상에 대한 두려움이 많아졌을 수도 있고요. 그래서 산책도 안 해보고, 사람과 어떻게 놀아야 하는지도 모르는 개들은 지금 이대로 구석에 누워 있는 게 그나마 편하다고 느낄지도 모르지만, 보호자로서 개한테 더 좋은 삶이 있다는 것을 알려주는 것이 좋아요."

결국은 이러한 상처가 있는 개에게 사람과 어떻게 교감해야 하는지, 강아지가 알지 못하는 더 즐거운 삶이 있다는 것을 알도록 개에게 맞는 방법으로 조치를 취해줘야 한다는 것이었다.

내 검색창은 온통 무디와 관련된 검색어로 금방 도배됐다. '겁 많은 강아지', '간식 유도 안 되는 강아지', '불안감 높은 유기견 입양', '강아지가 싫어하는 행동', '겁 많은 강아지와 친해지기', '사람 무서워하는 강아지 훈련' 등으로 가득 찼고, 관련 영상들을 대부분 찾아봤다. 내가 안 본 영상이 이제 더이상 검색해서 나오지 않을 정도였다. 나중에는 오히려 이런저런 영상을 많이 보는 것이 나에게 독이 되지 않을까 해줄이기는 했지만, 무디가 켄넬에서 나오지 않는 시간이 점점 길어질수록 초초해져서 그런 영상들을 많이 보긴 했다.

그중 추천해주고 싶은 영상 채널이 하나 있다. '시바견 미니'라는 유튜브 채널인데, 미니라는 시바누이 믹스견은 길에서 발견되어 동물보호소에서 3개월 동안 철장에 갇혀 지내다 안락사 리스트에 올라 동물 구조 센터에서 구조했다. 그이후 일주일 만에 입양을 갔지만, 두 달 넘게 침대 밑에서만 지낸다는 이유로 파양 되었고, 동물 구조 센터로 다시 돌아가 지내다가 LA에 있는 한 가정에서 입양해 돌보는 이야기가 기록되어 있다. 입양 Day1부터 Day180 정도까지의 기록이 꼼꼼하게 모두 되어 있다. 간식을 받아먹지 않기 때문에 간식 훈련이 전혀 되지 않는 강아지의 변화기가 세세하게 담겨 있기 때문에, 겁이 많은 강아지를 키우고 있다면 공감할 내용들이 많다. 영상 60여 편이 있는데, 며칠 만에 모두 다 시청했다.

하도 영상을 많이 보다 보니, 안 본 영상이 없을 정도가 되었는데 무디와 정말 비슷하다고 느낀 강아지가 한 TV 프로그램에 나온 적이 있다. 사람이 다가가는 것을 무서워해 도망가기 일쑤이고, 긴장도가 높아 작은 소리에도 예민하게 반응하거나 놀라는 일이 잦았다. 그리고 8개월이 넘도록 산책도 나가지 못해 발톱은 길어졌으며, 보호자에게도 다가가지 않고 있었다. 그 강아지의 영상을 보고 또 보면서, 무디에게 적용할 수 있는 방법이 무엇이 있을까 한참 동안 남편과 함께 고민했다. 그러다가 조심스럽게 그 강아지의 견주에게 인스타그램으로 DM을 보냈다. 나는 모르는 제 3자에게 DM을 보내본 적이 없다. 무디 덕에 처음으로 일면식도 없는 누군가에게 DM을 보냈다.

"안녕하세요, 저는 뜬장 구조견 무디라는 강아지를 임시보호 하다가 입양했는데 겁이 많아 영상을 찾아보다가 D라는 강아지를 알게 됐어요. 지금은 D가 보호자님 사랑과 노력에 산책도 하는 모습 보니 정말 기특하더라고요. 무디의 성향이나 상황이 D와 많이 비슷해서 방송에 나온 솔루션을 보고 따라서 시도해보려고도 했네요. 혹시 실례가 안 된다면 몇 가지 여쭤봐도 될까요? 답변 어려우셔도 충분히 이해합니다."

솔직하게 말문을 열었다. 그리고 '목줄 훈련 한 가지를 꾸준히 해서 개선이 되었는지, 숨숨집을 만들어주는 것이 오히려 회피성을 높이는 것은 아닌지' 몇 가지 질문을 남겼는데 답변이 없었다. '그래, 이렇게 물어보는 것도 민폐일 수 있어. 방송에 나오고 나같이 DM을 보내는 사람이 많았을 수도 있고, 이런 질문을 하는 사람들에게 답변을 해주는 것이 조심스러울 수도 있을 것 같아'라고 생각하고 그 이후에는 별생각 없이 넘겼다. 그런데 2주쯤 지났을까, 답변이 왔다.

"죄송해요, 방금에서야 DM을 봤어요. 강아지 D도 간식이나 먹을 것에 전혀 관심이 없고, 조금만 겁먹으면 구석진 곳이나 침대, 소파 밑에서 나오지 않았어요."

무디와 강아지 D는 정말 비슷했다. 그러더니 D의 견주는 실제 몇 개월간의 경험을 이야기하며, 나의 질문에 친절하게 길고 긴 답변을 남겨주었다. 모든 강아지에게 적용할 수 있는 방법이 아니고, 정답도 아니기 때문에 공유하긴 조심스럽지만, 간단하게 요약하면, 처음에는 목줄을 억지로라도 채워 훈련을 시작했고, 똥과 오줌을 지리기도 했지만 무작정 데리고 산책을 3개월 동안 나갔더니 조금씩 밝아졌다는 이야기였다.

나는 이렇게 시바견 미니도, 강아지 D도, 그들의 이야기를 꼼꼼하게 기록해 SNS에 공유하고 근황을 지속적으로 남겨주는 게 고맙다. 이런저런 개가 있다는 것을 알려주고, 이런 개에게는 어떻게 하는 게 좋은지 보여준다. 나도 그래서 기록을 열심히 남기기로 했다. 무디와 성향이 비슷한 강아지를 입양할 미래의 누군가에게 닿기를 바라본다.

많은 사람들이 '개'를 떠올리면, 마냥 사람 보면 꼬리 흔들고 사람 좋아 애교 부리고, 귀엽고 예쁜 모습을 떠올릴 것이다. 그렇지만 개도 개 나름이다. 기본적으로 다른 동물에 비해 비교적 사람과 교감을 잘하고 잘 어울려 살 수 있는 동물인 것은 맞지만, 모두가 그런 것은 아니다. 개도 성향이 있고, 저마다 특성이 다르다. 사람도 사람 좋아하는 사람이 있고, 혼자만의 시간이 필요한 사람이 있다. 개도 마찬가지다. 개도 개들과 어울리길 좋아하는 개가 있고, 개 친구를 만드는 걸 별로 안 좋아하는 개도 있다. 사람을 좋아하는 개가 있고, 사람이 만지거나 껴안거나 하는 걸 별로 안 좋아하는 개도 있다. 개를 일관된 이미지만 염두하고 바라보기엔, 그들은 매우 다양하다. 80억 인구 중에 똑같은 사람은 한 명도 없듯, 개도 똑같은 개는 없다.

개를 키우기로 결심했다면, 한 마리 개마다의 서로 다른 특성을 발견하는 즐거움을 알아야 한다. 개와 교감하고 대화하며 서로를 알아가야 한다.

동물 병원 방문 1회 차부터 5회 차까지

　필수 예방접종을 위해 2주 간격으로 병원에 가야 한다. 우리 집에 온 지 2주 되었을 때 병원에 갔다. 무디는 켄넬에서 밖으로 나오지 않기 때문에 그대로 켄넬 문만 닫고 병원으로 향했다. 병원 방문은 염려를 안 할 수 없는 곳이다. 사람과 교감이 잘 되어 있고 성격이 밝은 강아지도 병원에 가면 주눅이 들거나 꼬리가 축 처지기 마련이다. 병원에 다녀간 강아지들이 무서워하거나 긴장해 있는 상태에서 내뿜은 호르몬들이 여기저기 남아 있는 공간이기 때문이다.

　병원에 처음 가는 날, 켄넬 안에 무디의 애착인형과 간식을 넣고 문을 닫았다. 그리고 10분 정도 지났을 때, 켄넬을 들어 올리는 데 냄새가 났다. 무디가 똥을 싼 것이다. '무디 많이 무서웠구나.' 똥을 치워준 후 차에 태웠고, 차 안에서는 가만히 엎드려 잘 이동했다. 병원에 가서 진료를 받기 위해 켄넬 문을 열어야만 했다. 켄넬 문을 연 순간 무디와 눈이 마주쳤다. '나 구석에 숨고 싶어.' 무디의 눈빛을 단숨에 읽을 수 있었다. 캔넬을 열자 무디는 진료 테이블 위에서 곧이라도 뛰어내릴 것 같았고, 의사가 안아 올리자 무디는 똥을 지렸다. '역시나 사람이 무엇을 할지 모르니 무서울 수밖에.'

무디는 사람에게 잡히는 순간에도 입질을 하는 척만 할 뿐 이빨을 전혀 드러내지 않았다. 그저 도망가고 싶은 겁 많은 아이였다. 의사는 무디를 켄넬에 다시 넣어주고, 진료를 다음번에 보자고 했다. 이미 예방접종 1차를 시작했기에 늦어도 3주 이내에는 2차를 맞아야 했기에, 일주일 후에 다시 만나기로 했다. '도망자 무디.'

두 번째로 방문한 병원, 무디는 차를 정말 잘 탄다. 차만 타면 끙끙 거리는 개도 있고, 멀미가 나 구토를 하는 개도 있다고 하는데, 무디는 가만히 엎드려 있다. 이것만으로도 얼마나 기특한지. 나와 무디가 일주일 사이에 부쩍 친해졌더라면, 내가 무디를 안고 주사를 맞을 수 있었을 텐데 나와 무디 사이의 거리를 좁히는 데 실패했다. 결국 진료실 뒤편으로 가 의사와 직원 품에 안겼다기보다 잡혀서 주사를 맞고 발톱정리도 당했다.

 "무디가 겁이 많을 뿐 공격성은 없어요. 걱정했는데, 한번 손에 안기고 나니 그때부터는 가만히 있어서 주사 맞고 청진기 대보고 심장 소리 들어봤는데 별 이상은 없어 보이고요, 발톱까지 간단히 정리했어요."

 세 번째 병원, 가급적이면 뒤편으로 보내는 것보다는 진료실 안에서 보호자 품에 안겨 주사를 맞는 것이 가장 좋았기에, 의사는 진료실 안에 있는 위험요소나 의자를 치우고 무디를 켄넬에서 꺼낸 후 안아보자고 했다. 무디를 켄넬에서 꺼내자 무디는 숨기 시작했는데, 수의사의 책상 밑에 들어가 가만히 앉았다. 들어 올리자 무디는 얌전히 있었고 의사가 다가오거나 주사를 맞을 때도 요지부동이었다. 무디가 나와 친해져서 내 품에 안겨 병원에 방문하기를 꿈꾸며 세 번째 병원 방문을 마쳤다.

네 번째 방문, 역시나 다른 강아지들은 모두 목줄을 하거나 가방 안에 들어가 보호자 품에 안겨 온다. 가만히 대기 의자에 앉아 기다린다. '무디도 언젠가 저렇게 병원에 방문할 수 있겠지…' 무디는 지난번에 해본 방법으로 다시 시도했다. 남편과 나와, 의사는 손발이 이제 척척 맞는다. 의사는 진료실 뒤편에서 접종할 주사를 준비해 오고, 그 사이 우리는 의자를 바깥으로 치우고 진료실 안에서 켄넬을 열 준비를 한다. 남편이 수의사 책상 밑으로 가지 않게 길을 막아놓고 무디가 구석으로 향하면 내가 무디를 조심스레 쓰다듬다가 무릎 위에 앉힌 후 들어 올린다. '아이 예뻐, 아이 잘한다' 칭찬이 마구 쏟아진 후, 무디는 주사를 맞는데 여전히 가만히 있는다. 켄넬을 다시 조립하고 켄넬 안에 들어가게 바닥에 놓아줬는데 무디는 켄넬에 들어가지 않았다. '지난번에는 헐레벌떡 도망가듯 뛰어 들어가던 무디가 어디 갔지?' 무디는 오히려 여유 있는 발걸음으로 진료실 안을 탐색하고 있었다. 냄새를 맡으며 돌아다녔다. 조급하거나 긴장한 발걸음이 아니었다.

　백신을 맞고 부작용이 날 수 있기 때문에 강아지 얼굴이 부어오르는지 특이 증상은 없는지 15분 정도 관찰하고 귀

가한다. 집에 가는 길, 무디는 켄넬 최대한 끄트머리로 자리 잡고, 귀가 모두 뒤로 넘어가고, 혀로 코를 핥으며, 졸린 척 눈을 깜빡였고, 하품을 했다. 모든 카밍 시그널(Calming Signal)의 집합체였다.

그리고 다섯 번째 방문, 무디를 내 품에 안고 진료실에 들어갔다. 진료실 문을 열고 들어가는데 설레기도 했다. 의사는 '무디 이제 안아서 올 수 있네요? 잘 됐어요!'라며 같이 기뻐하며 반겨주었다.

무디 한 달 리포트

한 달이 되었을 때, 무디에게 아주 작은 변화가 생겼다. 무디가 변화하고 있는지 알 수 있게 매일 메모장에 무디 일기를 쓰곤 했는데, 그 내용들을 정리해봤다.

[그 동안 시도한 것들]

1. 먼저 과하게 다가가지 않고, 무디가 집을 편한 공간이라고 느낄 수 있게끔 집을 돌아다녀도 반응하지 않고 그냥 둠

2. 간식을 켄넬 밖에 놔주어, 스스로 켄넬 밖에 나올 수 있도록 하고, 간식 놓는 위치를 켄넬에서 점점 멀리하여 활동 반경을 스스로 넓힐 수 있도록 함

3. 사람이 자고 있는 밤에만 켄넬 밖으로 나와 노는 것을 마음껏 하고 에너지를 분출할 수 있도록 함

4. 이불을 바닥에 깔고 무디 근처에서 잠을 청함

5. 숨숨집(안전하다고 느낄 수 있는 사방이 막힌 공간)을 만들어 주었는데, 방구석 어두운 곳에 켄넬을 두고 편히 쉬고 잠을 잘 수 있도록 함

6. 먼저 다가와 사람 냄새를 맡을 때는 가만히 있고, 몸 곳곳 냄새를 맡을 수 있도록 해줌

7. 간식을 일부러 사람 무릎 위에 올려둔다던지 해서 무디가 직접 사람 몸과 접촉할 수 있도록 함

8. 안정감을 느끼도록 매일 동일한 루틴으로 생활한다. 아침에 일어나면 창문 열고, 이불 정리하고, 청소기 돌리며, 커피 내리고 밥 먹고 TV로 음악 틀기를 매일 반복함

9. 무디가 싫다고 표현하는 상황에서는 행동을 멈춤. 켄넬 안에 손을 집어넣는다던지, 무디를 만지려고 하는 등의 행동을 하지 않고, 이 외에도 무디가 카밍 시그널을 보이거나 고개를 돌리는 등의 싫다는 표현을 하면 하지 않음

10. 무디는 간식을 던져주는 동작을 매우 무서워했고, 아주 작은 소리에도 민감하게 반응했기 때문에 둔감화 하기 위해 오히려 그런 동작을 반복했고, 그 동작은 간식을 주려는 것이라는 것을 인식할 수 있도록 하며 크고 작은 소리를 반복해서 들려줌

[변화한 내용]

1. 사람 발가락만 꿈틀대도 무서워 도망감

 → 사람이 움직여도 쳐다보지도 않고 노는 것에 집중하는 경우가 많아짐

2. 무디가 화들짝 놀라 켄넬로 뛰어 도망가는 소리는, 사람 재채기 소리, 공기청정기 바람 소리, 냉장고 문 닫는 소리, 간식 주려고 봉지 부스럭 거리는 소리, 화장실 변기 물 내리는 소리 등 다수

 → 소리에 조금씩 둔해지기 시작함

3. 켄넬에서 하루 두 번 정도 밥 먹을 때와 배변 볼 때만 나와 돌아다녔음

 → 저녁 요리를 하고 있으면 냄새를 맡았는지 부엌으로 와서 돌아다니다가 들어가거나 나오는 횟수가 늘어남

4. 켄넬 앞에 간식을 놔주면 잠시 쳐다보다가 이내 고개를 돌려버리고 1시간은 지나야 바깥으로 조심스럽게 나와 간식을 먹음

 → 간식을 놔주면 1분 이내로 바로 나와 가져가서 먹음

5. 사람 잘 때만 장난감을 가지고 놀고 신나게 뛰어다니나, 여전히 사람이 침대 위에서 뒤척이는 소리를 내면 그때마다 와서 확인하고 사람이 자는 듯하면 다시 놀거나, 위험하다 느끼면 켄넬로 들어가 노는 것을 멈춤

 → 아무리 뒤척여도 노는 것을 멈추지 않음

116

무디가 하루 아침에 사람에게 먼저 다가와 놀자며 변할 수는 없다. 그렇지만 무디는 무디만의 속도로 조금씩 자신감을 키우고, 편하게 다리 뻗고 자고, 크고 작은 소리에도 둔감해져 가고 있었다. 앞으로도 계속 조금씩 용기 내고 변해가며 산책하고 사람하고 노는 방법도 알아갈 수 있기를 바랄 뿐이다.

애견 펜션에 가다.

처음으로 사람 손길을 허락해 준 날

우리 집에 온 지 한 달쯤 되었을 때, 애견 펜션에 함께 갔다. 나와 남편은 연말 여행을 제주도로 다녀올까 했지만, 무디가 우리 집에 온 이후로 여행의 꿈은 접어놔야 한다는 것을 깨달았다. 무디와 함께 가거나, 호텔링을 하거나, 지인에게 무디를 대신 봐주도록 부탁을 했어야 했는데, 무디에게는 세 가지 중 어떤 것도 무리인 상태였다. 무디는 집과 사람도 낯선 상태에서 새로운 곳으로 간다면, 여행 공간을 즐기는 것이 아니라 또 다시 적응해야 하는 무서운 곳으로 인식할 것이기 때문에 함께 가더라도 길게 갈 수는 없었다. 또한 사람을 무서워하는 터라 지인에게 부탁할 수도 없었기에, 적당히 타협을 보기로 했고, 집에서 차로 1시간 30분 정도 거리에 있는 태안에 있는 애견 펜션으로 1박 2일 다녀오기로 결정했다.

　개가 뛰어 놀 수 있는 마당 공간이 펜션 한 채 마다 모두 딸려 있는 곳이었다. 마당 공간은 실내 수영장과도 바로 연결되어 있어, 수영하다가 마당에서 뛰어놀 수도 있고 마당에서 뛰어놀다가 수영장에 풍덩 뛰어들 수도 있도록 되어 있었다. 무디는 아직 겁이 많아 사용할 수 없었기에 다음을 기약했고, 수영장은 우리들의 차지가 되었다.

　강아지 샤워실, 드라이기, 침대, 관련 용품 등 모든 것이 갖춰져 있어 아무것도 챙겨가지 않아도 될 정도였다. 개와 지인 집에 놀러가거나, 개와 여행을 가거나 외출을 할 때, 무디 용품 가방이 따로 있다. 마치, 아이를 키울 때 기저귀 가방에 한 보따리를 싸서 나가야 하는 것과 마찬가지다보니, 나의 보부상 가방은 무디의 짐 가방으로 쓰게 되었다. 방석, 배변패드, 물 그릇, 밥 그릇, 장난감, 배변봉투, 간식, 사료 등 필수적인 것만 챙겨도 벌써 가방이 묵직해진다.

펜션에 도착해, 추가 요금을 결제하는데 '개는 지갑으로 키운다'라는 말이 조금씩 와 닿았다. 펜션 숙박비용은 비수기여서 할인된 가격이었음에도 35만원이었다. 게다가 소형견, 중형견, 대형견, 크기나 무게에 따라 추가요금이 발생한다. 무디는 진도 믹스라고 말씀드리자, 사장님은 곧이어 '진돗개는 추가요금이 발생할 수 있어요'라며 고개를 가우뚱해하셨다. 무디는 진도 믹스지만 아직 아기이고 다른 작은 견종이 있는 믹스견이라 5kg 밖에 안 된다고 했는데, 사장님은 직접 무디를 확인하러 오셨다. 보시더니 '아이고, 정말이네요. 귀여워, 정말 작네요'하고 가셨다.

"무디가 분명 켄넬에서 나오면 구석이나 어딘가에 숨으려고 할 거야. 위험할 수 있으니까 숨을 만한 곳들을 미리 막아놓자."

무디는 병원에 가서도 켄넬에서 나오자마자 숨고 싶어 했었다. 이번에도 분명 그럴 것이 예상됐기에, 숨을만한 곳을 막는 일을 먼저 시작했다. 소파 밑은 내가 봐도 숨기 좋을 공간이었다. 우리는 구석진 곳을 막아놓고 무디 켄넬을 열어주었는데, 역시나! 무디는 숨을 곳을 찾아 다급하게 움직이기 시작했고, 안 그래도 들어 갈까봐 막아둔 소파 밑을 어떻게든 비집고 들어갔다. 안전하지 않기에 소파 밑에 계속 무디를 둘 수 없었고, 우리는 다시 작업에 들어갔다. 소파를 움직여 무디를 나오게 했고, 다시 소파 밑에 들어갈 수 없도록 조치를 취했다. 그러자 무디는 신발장에 가만히 앉았다.

무디가 사람과 교감이 잘 되는 상태에서 여행을 왔다면 최고였을 것이다. 그리고 무디는 평소처럼 집에만 있었으면 마음이 더 편했을 지도 모른다. 그러나 무디에게도 한계로 몰아붙이지 않는 선에서 함께 새로운 경험을 해보는 것도 긍정적으로 작용할 것이라 믿는 마음도 있었다.

무디가 좋아하는 고구마 간식을 놓아주니, 돌아다니며 고구마를 모두 주워 먹었다. 무디의 동태를 조심히 살피며 우리는 간단히 수영을 한 후 저녁을 먹기로 했다. 수영장에 들어가 시간을 보내고 있는데, 무디가 수영장으로 들어왔다. 거실에 켄넬 문도 열려 있었고, 사람을 피해 앉을 수 있는 다른 공간들이 있었음에도 불구하고 무디는 수영장에 계속 머물렀다. 불편하다고 느낄 때는 잠시 수영장 바깥에 나갔다가 곧바로 수영장으로 다시 들어왔다. 무디는 수영장 물이 신기했는지, 마치 곧 물에 뛰어들 것 같이 오랫동안 호기심을 보이며, '들어갈까 말까'하는 듯한 몸 동작을 보여줬다.

무디가 수영장과 우리 곁을 떠나지 않고 계속 머물러 있는 것이 의아하면서도 신기해, 슬쩍 무디 옆에 앉아 봤다. 무디는 도망가지 않고 여전히 가만히 앉아 있었다. 그래서 무디 얼굴을 쓰다듬어 봤는데, 무디는 그래도 가만히 있었다. '무디가 낯선 곳에 와서 그나마 우리를 의지하는 걸까? 아니면 도망갈 곳이 없다고 생각해서 포기해버린 걸까?'하는 추측을 해보며, 무디의 처음 보이는 행동에 우리는 기쁘기도 당황하기도 했다. 무디를 살짝 들어 무릎에 앉히니 또 가만히 있었다. 이것이 무디와의 첫 번째 스킨십이었다.

펜션은 복층 구조였는데, 1층에 무디가 혼자 편히 쉴 수 있도록 켄넬과 간식, 사료, 배변패드 등을 두고, 나는 2층 침실로 올라가 잠을 청했다.

아침에 남편이 귓속말로 '무디 올라왔어'라고 하는 소리에 잠에서 깼다. 아침에 깨면서도, 인기척을 내면 무디가 놀랄 것이라는 생각에 정말 눈만 뜨고 눈동자를 굴려가며 주변을 살폈다.

자기 전, 1층에서 2층으로 올라오는 계단은 열 다섯 칸 정도 있는데, 계단 칸 마다 간식을 두었다. 무디 같이 겁 많은 강아지에게 스스로 뭔가를 도전해보고 성취감을 느끼는 경험을 주고 싶어서였는데, 무디는 정말 용기를 내 계단 마다 있는 간식을 먹으며 2층까지 올라왔다.

'무디도 실은 계속 용기를 내고 있었던 걸까?'

켄넬을 없애다.

무디는 두 달이 되도록, 켄넬에서 나오지 않았다. 켄넬 안에 있는 무디를 바라보는 짧은 순간에도 머릿속에는 긍정과 부정 두 가지 생각이 왔다 갔다 한다.

'마음을 열 때까지 3개월이 걸릴지, 1년이 걸릴지 모르는 일이니까, 두 달이라는 숫자와 기간에 너무 연연하지 말고 처음 보다 점점 좋아지고 있다는 사실에 집중하자. 확실히 처음 왔을 때보다 긴장을 덜 하고 크고 작은 소리나 사람의 움직임에도 크게 신경 쓰지 않을 정도로 둔감해졌고, 무엇보다 밥 잘 먹고 배변 잘하고 잘 놀고 있으니까. 앞으로도 조금씩 점점 좋아질 거야.'

무디의 변화에 집중하면서 긍정적으로 생각의 방향을 다 잡아 본다.

그러다가 또 반대의 생각도 든다.

'그런데 무디야, 두 달은 너무 하잖아. 이 정도면 편해질 때도 되지 않았을까? 아휴… 그래, 결국 다 사람들 탓이지. 닭장에서 방치해서 어릴 때부터 모견과 떨어트려 키운 게 사람이니까.'

내 안에 몇 개의 자아가 존재하는 건지 이럴 때는 나조차 도 마음을 한 가지로 결정하기 어렵다. 그러다 많은 생각하 지 않고 새로운 변화를 줄 것인지, 현재 상태를 유지하며 좀 더 기다려줄 것인지만 결정하기로 한다.

주변에서도 시간이 조금 흐르면 무디가 사람이 무섭지 않 다는 것을 알게 되고 새로운 환경에 적응할 수 있을 것이라 고 생각했는지, '무디가 너희 집에 온 지 시간이 꽤 지나지 않았어?'라며 걱정과 염려스러운 말들을 하기도 했다.

변화와 새로운 시도가 필요하다고 결론을 내렸고, 그동안 관찰한 것들을 종합해 변화를 주기로 했다.

무디와 지내며 발견한 특이점들이 몇 가지 있는데, 그중 하나는 무디는 사람을 관찰할 수 있고 언제라도 사람을 피해 빠져나갈 수 있는 위치를 선점한다. 무디에게는 안정감이 최우선이기 때문일 것이다. 무디의 방석이나 켄넬을 사람의 동태를 살필 수 없는 장소에 두면 잘 들어가지 않는다. 그리고 동시에 사람의 손이 닿지 않는 가장 구석진 곳을 좋아한다.

그래서인지 무디는 켄넬을 침실 안에 두면 켄넬 밖으로 꼼짝도 하지 않는다. 침실이 이미 가장 구석진 곳이고 사람이 다가올 수 없는 가장 안전한 곳이라고 생각하는지, 그곳에서 잘 나오지 않는다. 그 안에서 사람의 동태만을 살필 뿐이다. 그런데 켄넬을 거실에 둔 채, 사람이 거실이 아닌 다른 곳으로 이동하면 따라온다. 거실에서는 다른 방이나 화장실 등으로 간 사람을 관찰할 수 없기 때문이라고 생각한다.

첫째, 켄넬 위치를 침실에서 거실로 옮겼다. 그러자 무디는 켄넬에서 하루에도 수십 번씩 나왔다. 하루 종일 켄넬 안에만 있어 몸에 담이라도 걸리지 않을까 걱정했던 것이 무색하게, 켄넬 밖을 나오는 것뿐만 아니라 사람이 무얼 하는

지 졸졸 따라다니며 관찰을 했다. '진작 켄넬을 거실로 옮길걸… 무디가 최대한 편하게 느낄 수 있도록 침실 구석에 두었더니 오히려 더 밖으로 나오지 못했구나.' 하는 생각이 들었다. 대부분 인터넷에서 켄넬을 배치하기 좋은 장소로, 사람이 너무 많이 왔다 갔다 하는 거실보다는 조용하고 편하게 쉴 수 있는 방구석 쪽을 알려주는데 무디는 일반적인 방법보다는 무디에게 맞는 방식을 찾아야 했던 것이다.

둘째, 켄넬을 아예 없앴다. 무디에게 켄넬은 '침대 밑 또는 서랍장 밑'을 대체할 장소였을 뿐이고, '숨을 구멍'이었기 때문이다. 켄넬을 거실에 옮긴 이후로, 무디는 켄넬에서 나와 하루 종일 집안을 돌아다녔고, 켄넬 밖에 있어도 안전하다고 충분히 느낀 것인지 방석에서 보내는 시간이 많아졌기에 켄넬을 없애도 괜찮겠다고 생각했다. 초반에, 어쩔 수 없는 이유로 켄넬을 분리해 뚜껑을 연 적이 있었는데 무디는 낑낑거리는 소리를 연이어 내며 불안하다는 표현을 한 적이 있었다. 이번에는 켄넬을 없애도 무디는 잠시 당황스럽다는 표정을 보였을 뿐 이내 방석에 자리를 잡고 엎드렸다.

한 반려동물 커뮤니티에 무디의 현재 상태와 함께 켄넬을 없애도 될지 질문을 남긴 적이 있는데, 모든 댓글이 '안 된다'라고 말했다. 심지어 나의 질문을 보고, '그런 상태의 강아지에게 켄넬을 없앤다는 것은 정말 무지하기 때문에 할 수 있는 발상입니다. 절대 해서는 안 될 일이에요'라며 극구 반대를 했는데, 다행히 이러한 예측과 같은 일은 벌어지지 않았고 무디는 불안함을 보이지 않았다.

셋째, 방석 개수를 늘렸다. 침실에 두 개, 거실에 하나. 무디의 쉴 수 있는 공간을 넓혀가기 위함이었다. (방석 개수를 늘리는 과정에서도 무디는 새로 구매한 방석에 처음에는 올라가지 않았다. 간식을 방석 위에 놔주고 간식을 먹기 위해 방석에 올라가도록 유도하는 것을 여러 번 반복하자 3일째가 되어서야 방석에서 시간을 보냈다.) 또한 무디가 미끄러지지 않고 편하게 뛰어놀 수 있는 매트도 늘렸다. 그러자 집안에 무디가 쉴 수 있는 공간이 넓어졌다. 무디는 침실과 거실, 서재 곳곳에서 장난감을 가지고 놀았고, 거실에서 잠을 청하기도 침실에서 잠을 청하기도 했다. 집 안에서 바삐 걷던 걸음걸이도 조금은 여유를 가지게 되었다.

인터넷에서 말하는 일반적인 켄넬 위치와 달리 침실에서

거실로 옮겼지만 성공적이었고, 또한 켄넬을 없애면 안 된다
는 조언과 달리 무디의 반응을 본 후 켄넬을 없앤 것도 긍
정적인 효과를 가져다주었다. 실제로, 무디는 사람이 누워있
는 침대에 올라와 가만히 앉아 있기도 했고, 소파에 올라오
기도 했으며, 거실과 침실 모두 무디의 놀이터가 되었다. 무
디에게 훈련과 교육을 하는 것보다 마음을 여는 것이 최우
선이었기에 그쪽에만 집중을 했다. 그렇게 무디는 집 안에서
편하다고 느낄 수 있는 공간을 늘려가는 듯했다.

첫 산책

무디는 두 달 만에 무디 몸 크기만한 켄넬에서 나와 집을 돌아다니기 시작했다. 이제 다음 단계로 나아가야 한다. 켄넬 밖으로 나왔으니, 집 밖으로도 나가야 한다. 무디와 산책을 나가기로 했다.

정석대로라면, 간식 훈련을 통해 목줄에 대한 좋은 인식으로 심어주어야 한다. 간혹 산책은 좋아하는 데 목줄을 싫어해서, 산책 나가기 전 목줄을 피해 줄행랑을 치는 개들도 꽤 많기 때문이다. 목줄이 나쁜 것이 아니라는 것을 알려주고, 목줄을 하면 산책을 나간다는 것을 인지시켜 목줄에 대한 호감을 높여주는 과정을 거치면 좋다. 무디가 우리 집에 오기 전, 내 머릿속에는 이러한 일련의 과정이 들어 있었지만,

무디가 오고 나서 기존에 알던 일반적인 훈련법은 모두 무너졌다.

　무디의 성향과 특성에 맞는 방법으로 산책을 나가야만 한다. 그렇게 무디와 산책 나가기 작전이 시작됐다. 무디는 생후 6개월이라는 어린 나이에 비해 경계하는 것들이 많다. 무디는 사람의 인기척이나 소리, 새로운 물건 등에 대한 경계가 높기 때문에 전략적으로 접근해야 한다.

　무디와 같이 '콜'이 안 되는 개는 하네스와 목줄을 이중으로 둘 다 하는 것이 좋다고 하는데, 둘 중 하나가 벗겨지거나, 줄이 끊어지거나 했을 때 줄이 하나 더 있어 놓치지 않을 수 있기 때문이다. 2차 안전 줄과 같은 것이다. 목줄 또한 개가 벗으려고 힘을 주거나 당길 때 더 조여지면서 잘 빠지지 않는 목줄을 하는 것이 좋다.

　겨울철이라 벗겨질 염려가 없는 하네스 재킷으로 시작하기로 했다. 무디에게 하네스와 목줄을 모두 하는 것은 무리였고, 하네스를 하고 그 위에 또 옷을 입는 것도 무디에게는 부담이었다. 그리고 발을 끼우고 가슴을 채우는 옷은 무디에게는 버거울 것이 분명했기에, 입기 최대한 간편한 재킷으로 선택했다. 대신 고리나 줄이 끊어질 것을 대비하여 리드줄 두 개를 연결했다.

무디에게 적합한 하네스 재킷과 리드줄을 구매한 뒤, 물품을 집 안 곳곳에 두었다. 무디는 새로운 물건에 호기심을 보였기 때문에 이번에도 역시나 목줄과 리드줄 냄새 맡는 모습을 보였고, 나는 그런 무디의 행동을 몰래 훔쳐보면서 산책용품이 무디에게 덜 낯선 물건으로 인식되기를 바랐다. 그러고 나서 무디 몸에 목줄을 대고 가볍게 문질러 주었다. '쓰담쓰담' 하니 처음에는 무디 몸이 경직되어 얼어 있었지만 점차 긴장을 푸는 것 같았다.

그러고 나서 무디에게 목줄을 채워… 보려고 했으나 완벽하게 실패했다!'훈련사 영상이나 책에서 봤던 것처럼 순조로우면 역시 실전이 아니지'라고 심기일전하고 그 다음날 다시 시도해 보기로 마음먹었다.

무디는 목줄과 하네스를 보면 바로 겁에 질렸다. 그럴 만도 하다. 사람이 무디를 뜬장에서 빼네 켄넬에 넣고 보호소로 데려간 기억, 병원에서 강제로 예방접종을 한 기억, 사람이 무디에게 뭔가를 한다면 무디를 괴롭혔다고 느낄만한 기억뿐이기 때문이다. 목줄과 하네스를 바닥에 두고 그 안에 간식을 넣어두면 무디는 몇 번의 경계 후 목줄 안에 얼굴을 넣어 간식을 먹었다. 이런 식으로 무디와의 휴전 기간을 가졌고, 무디가 목줄과 친해지길 바라는 시간을 가졌지만 그럴 여지를 보이지 않았다.

나는 또다시 결심을 해야 했는데, 일단 하네스를 어떻게든 하고 밖에 나가 보기로 결심했다. 이 와중에도 무디는 고개를 돌리는 카밍 시그널을 보내며 하네스가 싫다는 표현을 했지만 입질을 하거나 사람을 물려고 하거나 으르렁대지 않았다. 그렇게 하네스를 착용하고 집 안을 먼저 몇 바퀴 같이 걸었다. 무디는 리드줄로 사람과 연결된다는 것을 정확히 이해하고 있었다. 그렇게 사람과 발맞춰 걷는 모습을 확인한 후, 밖으로 향했다. '가 보자.'

무디는 세상에 처음 나왔다. 이런 넓은 세상이 있었는지, 냄새 맡을 수 있는 풀과 나무와 흙이 있다는 것도 모르고 살았다. 무디에게 자연 냄새를 맡고 바람을 느낄 여유 같은 건 없었기에, 꼬리는 땅에 떨어지다 못해 무디 몸 안으로 말려 들어갔다.

무디가 리드줄을 따라 잘 걷는 듯하다가 돌발행동을 보였는데, 바로 길가 수풀 속으로 몸을 비집고 들어가기 시작했다. 겨울이라 마른 수풀 안에 딱딱하게 얼은 가지뿐이라 얼굴이 긁히고 몸이 아플 텐데, 그런 것은 개의치 않고 몸을 마구 욱여넣었다. 이때서야 떠올랐다. 무디는 구석에 숨고 싶어 하는 본능이 강하는 것이. '설마 밖에 나와서도 구석을 찾아 숨으려고 할 줄이야. 상상도 못 했네…'

그래도 무디는 처음치고 잘 해냈다. 한동안 무디와 산책을 나가는 것은 노동이었다. 산책을 실제로 하는 시간은 10분, 20분 정도인데, 산책을 나가기 위해 실랑이를 벌이고 대치를 하고 있는 상황이 기본 30분 이상씩 지속되었기 때문이다. 그러나 그런 실랑이를 벌이며 3주 정도 꾸준히 산책을 나가자, 무디는 조금씩 변해갔다. 산책의 즐거움을 알아갔다. 밖에 나가기만 하면 축 처져 말려있던 꼬리는 위풍당당하게 올라갔고, 무디는 꼬리를 살랑살랑 흔들어댔다. 네 달 정도가 지나자 무디는 '산책'이라는 단어를 알아듣게 되었다. 무디는 '밥'이나 '간식'과 같은 단어에 큰 반응을 보이지 않지만, '산책'이라는 단어에는 누가 봐도 행복한 강아지임을 온몸으로 피력하게 되었다.

심지어 무디는 사회성이 매우 좋은 강아지였다. 산책을 하며 만나는 온 동네 강아지들에게 인사를 하고 다녔다. 사람은 피해 다니지만, 강아지만 보면 무디는 강아지와 인사하고 같이 놀고 싶다는 의사를 온몸으로 표현했다.

꼬리가 말려 들어가 있다.

간식 무서워하는 강아지

애견 운동장이나 애견 카페를 가면, 마치 수학여행에서 소지품 검사하는 학창시절 선생님 또는 공항의 수색견처럼 사람들의 가방을 검사하며 돌아다니는 개들을 꽤 봤다. 간식 냄새가 나는 곳을 찾아 킁킁대며 돌아다닌다. 여태까지 만난 개들은 간식 봉지 부스럭 대는 소리만 나도, 간식을 먹는다는 기대감에 멀리서도 달려오는 경우가 많았고, 간식을 얼른 달라며 제자리에서 몇 바퀴를 '뱅그르르' 돌며 기쁨을 표현하는 경우가 대부분이었다.

역시나 무디는 내가 봐왔던 개들과는 달랐는데, 간식에 무관심한 정도가 아니라 간식을 주려고 부엌으로 가서 봉지를 열면 '후다닥' 도망을 갔다. 무디는 간식 봉지 소리를 무서워하는 듯했다. 겁이 많은 강아지는 직접 다가가 간식을 주지 않고, 멀리서라도 간식을 던져 주어 '사람은 간식을 주러 다가오는 존재'라는 인식을 심어주면 좋은데, 무디는 간식을 던져 주는 것도 무서워했다. 간식을 던져주려는 손동작이나 모션만 취해도 역시나 도망갔다. 사람 눈만 마주쳐도 줄행랑을 치던 그 모습과 같았다.

'자, 무디야, 간식 먹자'라고 하면 무디는 도망갔다.

말하지 않고, 가만히 한쪽 무릎을 바닥에 대고 가만히앉아 간식을 내밀면, 무디는 도망갔다.

무디와 거리를 두고 무디 쪽으로 간식을 살포시 던져주면, 무디는 역시 도망갔다.

부엌에서 간식을 꺼내려고 봉지를 열다가 '부스럭' 소리가 나면 무디는 화들짝 놀라 도망갔다.

무디와 나의 거리가 이미 멀리 떨어져 있어 더 이상 '도망'이라고 할 것도 없는 것 같은데, 그 자리에서도 도망을 갔다.

무디와 나의 출발점은 이런 것이었다. 다른 강아지에게는 간식을 꺼내면 바로 꼬리를 흔들며 다가오는 것이 시작점이라면, 무디는 간식을 꺼내면 놀라 도망가는 것이 시작점이었다.

온갖 영상을 보며 이 역시 공부하고 시도했다. 무디와 같은 강아지는 약간의 밀고 당기기가 필요했는데, 오히려 내가 '제발 간식 먹어줘'라는 뉘앙스로 간식을 주기보다는, 간식을 꺼내두고 '먹으려면 먹고 말려면 말아'라는 태도로 무디를 대했다. 간식을 꺼내서 '무디야, 간식~'이라고 해보고 무디가 도망을 가면 도로 봉지에 간식을 넣고 치웠다. 물론 이 방법만으로 바로 효과가 나타나진 않았다.

두 번째 단계로 넘어가, 무디가 먼저 다가오면 그럴 때만 간식을 꺼냈다. 무디는 사람과 한 집에 살아본 적이 없었기 때문에 '사람'이라는 존재가 무엇을 하고 사는지 그들의 행동반경을 전혀 알지 못한다. 그들이 뭘 먹는지, 화장실에 들어가서는 한참 동안 무엇을 하고 나오는 건지, 샤워를 하고 나서는 시끄러운 소리가 나는 드라이기로 뭘 하는 건지, 저녁 식사를 준비할 때는 부엌을 분주하게 돌아다니다 보면 왜 이렇게 맛있는 냄새가 나는 건지, TV를 볼 때는 소파에 앉아 TV를 응시하면서 깔깔거리며 웃기도 하고 심각해지기도 하고 울기도 하는 건지, 그런 것들은 한동안 관찰했다.

그럴 때마다 무디에게 얼마든지 보여줬다.

"사람은 드라이기로 젖은 머리카락을 말리는데, 소리가 좀 나."

머리카락을 말릴 때마다 등 뒤에서 슬며시 나타나 가만히 쳐다보고 있는 무디의 궁금증을 해소해 주기 위해 노력했다. 무디는 사람의 하루 일과를 관찰해, 점점 사람의 행동이 예측 가능해지면서 안정감을 느끼는 듯했다. 무디는 그런 식으로 소파에 가만히 앉아 있으면 슬며시 다가와 냄새를 맡기도 하고 가만히 응시를 하기도 했는데, 집안 곳곳에 간식을 구비해 두었다가 무디가 다가오면 아주 자연스럽게, 최대한 소리를 내지 않고, 간식을 '슥'하고 내밀었다. 그러면 무디는 간식에 관심을 보이고, 다가와 손에 있는 간식을 먹었다.

그리고 세 번째, 무디가 침대에 누워 있으면, 간식을 무디 앞에 던져 주기만 하고 쿨하게 떠났다. 내가 간식을 던져 주고 자리를 바로 떠나면 무디는 곧바로 간식을 먹었다. '사람은 무디가 좋아하는 간식을 주는 사람이야', '사료 말고도 맛있는 간식을 주려고 다가오는 거야', '간식 봉지 부스럭 소리가 나면 거기서 간식이 나와'라는 것들을 무디에게 알려주고 싶었다.

이러한 노력들을 계속해서 반복했다. 그러자 무디는 간식을 쥔 손에 달려들기도 하고, 간식 봉지를 소리를 내면 꼬리를 흔들며 먼저 다가오기도 했다.

'옳지, 잘한다, 무디.'

무디와 많은 곳을 가볼래

무디는 나의 껌딱지가 되었다. 우리 엄마는 무디에게 '쫄쫄이'라는 별명을 지어주었다. 나를 보호자로 인식하게 되고, 낯선 곳에 가면 나를 졸졸 쫓아다녔기 때문이다.

태어난 지 6개월만에 첫 산책을 해보고, 간식도 무서워하고, 구석에만 숨던 무디는 나를 보호자로 인식하기 시작했다. 무디가 목줄을 잘 할 수 있게 되고, 간식과도 친해지면서, 무디와 어디에도 갈 수 있었다. 무디는 자동차를 매우 잘 타서 이동하기 수월하다. '자동차만 타면 병원에 가는 것'이라는 인식을 주기 싫어서, 일부러 차를 타고 걸어서 10분 거리에 있는 공원에 산책을 가기도 했다. 차를 타면 공원 가서 산책도 하고, 무디가 좋아하는 곳을 갈 수 있다는 인식을 주고 싶었다. 물론 나도 이런 노력을 하긴 했지만, 고맙게도 무디는 우리집에 처음 왔을 때부터 차를 너무 잘 탔다. 차를 타면 가만히 엎드려 있었고, 간식을 주면 이동 중에도 간식을 잘 먹었다. 나중에는 자동차에 완벽 적응을 해, 창문 너머로 바깥 세상을 구경하는 것을 즐기기까지 했다.

무디와 어디든 다녔다.

우리 집 근처에 있는 공원 말고, 차로 10분, 20분, 30분 거리에 있는 공원들을 다녔다. 무디 덕에 추우나, 눈이 오나, 비가 오나 날씨에 상관없이, 다양한 공원들을 산책할 수 있었다.

스타필드에도 갔다. 무디에게는 별천지였을 것이다. 사람이 가득하고 분주하며, 번쩍 거리는 조명들이 있는 그런 곳은 처음이었다. 오히려 낯선 환경이어서 그런지 무디는 목줄을 당기지도 않았고, 나의 발걸음에 맞추어 잘 따라와줬다. 그 와중에도 다른 개들을 만나면 한 마디로 빠짐없이 인사하는 것을 잊지 않았다.

부모님 집에 가서 하루를 자고 오기도 했다. 무디는 신기하게도 우리 가족을 편안하게 생각했다. 아빠를 특히 편안하게 생각하는지 아빠가 앉아 있는 옆으로 다가가 그 옆에 무디는 엎드려 누웠다. 이유는 지금까지도 모르겠지만, 아빠는 '무디도 좋은 사람을 알아보는 거지'라며 흐뭇해했다.

엄마의 새로운 약국 개업을 축하하러 갈 때도 무디와 함께 했다. 무디와 애견 펜션도 가고, 애견 운동장도 가고, 반려동물 동반이 가능한 카페도 이곳저곳 가고, 반려동물 동반 가능한 에어비앤비 숙소에 가서 하루를 묵기도 했다.

물론 처음 몇 번은 무디도 힘들어하는 것 같았다. 애견 운동장을 갔는데, 무디는 가장 구석을 찾아 자리를 잡았고 소파의 끄트머리에 딱 붙어 있었다. 그러나, 단 몇 번뿐이었을 뿐, 여러 장소를 다니다보니 무디는 어디를 가도 안정감을 느끼기 시작했다. 이제는 새로운 환경에 가도 무서워하는 듯한 기색은 전혀 없다. 오히려 호기심을 보이고, 10분 정도 돌아다니며 냄새를 맡으면 바로 적응한다.

무디와 이곳저곳 돌아다니기 시작했을 때, 내가 무디를 위해, 무디에게 다양한 경험을 시켜주기 위해, 무디가 갈 수 있는 장소들을 찾아다녔다고 생각했는데, 지금 되돌아보니, 무디 덕에 내가 가보지 않았을 장소들을 많이 가볼 수 있게 되었다.

'무디야, 고마워!'

무디를 (다시) 소개합니다.

무디와 함께 한지 어느덧 7개월이다. 그 사이 무디에 대해 알게 된 점들이 많다.

무디를 마냥 겁이 많은 강아지로만 생각했었다. 뜬장에서 살며, 사람에 대한 안 좋은 인식이 생겼고, 3개월이 지나도록 뜬장에서만 생활하며 세상 밖으로 나와본 적이 없었기 때문에, 세상에 대해 무서운 것이 많을 것이라고만 생각했다. 그도 그럴 것이, 무디는 두 달이 넘도록 켄넬 밖으로 나오질 않았기 때문이다.

7개월 동안 함께 살아보니 무디는 생각보다 '겁'이 많지 않다. 겁이 많다기보다, 조심스럽고 섬세하다. 무디는 호기심이 많고, 세상에 대해 알아가고 싶어 하는 의지가 꽤나 많다. 새로운 환경에 가도 무서워하기보다는 새로운 것을 접해 즐거워한다.

무디의 MBTI 중 하나는 확실한데, 대문자 'E'다. 외향형의 성향을 가진 것이 분명하다. 무디는 사람이 낯설어, 사람과 어떻게 소통하고 교류해야 하는지 모를 뿐이고, 개들을 만나면 '친구 하자'며 다가간다. 산책을 할 때도, 애견 운동장을 갈 때도, 강아지 유치원에 갈 때도, 다른 강아지들을 보면 무디 눈에서 하트가 나오는데, 소형견이든 대형견이든 상관하지 않는다. 상대 개가 무디를 꺼려하며 무디를 향해 짖거나, 무디에게 관심을 보이지 않고 먼저 다가오지 않아도, 무디는 먼저 인사를 한다. 상대 개가 싫다는 표현을 하면 부담을 주지 않고, 멀리서 엎드리고 쳐다보며 꼬리만 흔들 뿐이다.

무디는 깔끔하다. 고양이처럼 스스로 그루밍을 한다. 진돗개나 시바견과 같은 토종견들에게 보이는 특징이라고 하는데, 무디가 진도 믹스여서 그런지, 스스로 털 관리를 한다. 무디가 집에 온 첫날, 무디는 태어나서 목욕을 한 번도 해본 적 없었기에 온몸에 더러운 것들이 묻어 있었다. 무디와 친해지기도 전이라, 목욕할 엄두도 내지 못하고 가만히 두었는데, 며칠이 지나자 무디 털은 새하얗게 깨끗해져 있었다. 배변 훈련이라고는 제대로 해준 것 같지 않았는데, 새끼일 때 카페트와 러그에 배변 실수를 한 것을 제외하면, 무디는 배변을 완벽하게 해냈다. 그리고 실외배변을 한다. 개는 사람과 함께 사는 장소를 집으로 인식하고 깨끗하게 유지하고 싶은 의지에서 실외배변을 하게 된다고 하는데, 무디도 역시 그렇다.

털이 어마무시하게 빠지고, 털날림도 엄청나다. 이중모인 개에게서 주로 보이는 특징이다. 이중모 견들은 1년 365일 내내 털을 끊임없이 생산해낸다. 무디도 그렇다. 심지어 털갈이 시즌에는 2배 정도 털이 더 많이 빠지는데, 매일 빗질을 해도, 언제 빗질을 했냐는 듯 그대로이다. 내가 먹는 음식에서 무디 털을 발견하는 건 부지기수이고, 내 옷에 무디 털이 붙어 있는 것은 일상이며, 털을 제거하는 돌돌이는 필수 아이템이다. 매일 이불을 청소하고, 카페트를 청소하고, 소파를 청소해도, 무디의 털은 질량보존의 법칙처럼, 항상 그 자리에 있다.

무디에게서 새로운 모습을 발견하는 즐거움이 있고, 또 앞으로 무디의 어떤 모습을 알게 될지 기대된다.

Part 4. 유기견, 입양 등에 관한 개인적인 의견

임시보호에 관한 생각

보호소 한 칸을 더 늘리는 일

내가 생각하는 임시보호란, '보호소 한 칸을 더 늘리는 일'
이다.

임시보호의 정의는 백과사전을 보면 정확하고 쉽게 알 수
있는데, '유기견, 유기묘 등 버려진 애완동물을 정식으로 분
양할 사람이 나타나기 전까지 임시로 보호하는 행위를 의미
한다. 유기동물 보호소의 일을 자원해서 도우면 봉사활동으
로 여겨지듯이, 임시보호도 일반적으로 봉사활동으로 여겨
진다. 유기동물 보호소가 있으나 일정 기간이 지나도 입양되

지 못하면 안락사하기 때문에 임시보호를 자처하는 사람들이 있다'라고 설명하고 있다.

　나는 단순하게 결론을 내렸다. 임시보호는 보호소 한 칸을 더 늘리는 일이라고 말이다. 유기동물은 구조가 되면 보호소에서 시간을 보낸다. 그런데 유기동물은 계속해서 발견되고, 보호소가 수용할 수 있는 동물 수에는 한계가 있기에, 일정 시간 동안 입양되지 못한 동물은 안락사가 된다. 그리고 새로운 유기동물로 보호소는 다시 채워진다.

　그렇기 때문에 임시보호는 더 많은 유기동물이 보호자를 만날 수 있도록 도와주는 일이며, 약 한 달 여간의 안락사 기한을 무한으로 연장시켜 주는 일이다. 임시보호 1년 후에서야 보호자를 만나게 된 유기동물들도 꽤 많이 봤기 때문이다. 임시보호가 없었다면 보호소에서 안락사가 됐을 것이다.

　또한 임시보호는 유기동물의 사회화를 도와준다. 사람도 어린 시절을 어떻게 보냈느냐가 이후의 삶을 살아가는 데에

영향을 미치기도 한다. 동물도 마찬가지다. 세상을 이해하고, 세상을 습득하는 어린 시절을 보내고 성견 또는 성묘로 자란다. 그래서 사람과 함께 살아가는 동물이라면, 새끼 시절에 사람과 어떻게 소통하고 교류하는지 배우는 것이 매우 중요한데, 보호소에서는 동물들 한 마리씩 신경을 쓸 여력이 없기 때문에 사람과의 접촉은 거의 이루어지지 않는다. 물론 자원봉사자들이 직접 만든 유기동물 보호단체라던지, 사설 단체 등은 각각의 다른 정책으로 보호소를 운영을 하기도 하지만, 시에서 운영하는 보호소는 용역업체에 위탁하는 경우가 대부분이기 때문에, 방 한 칸에서 사료를 먹는 것이 전부일 때가 많다. 따라서 임시보호는 유기동물의 사회화를 돕는다는 점에서도 의의가 있다.

임시보호를 두고, 오히려 유기견, 유기묘 등에게 상처를 주는 일 아니냐고 반문하는 사람도 있다. 그러나 유기동물도 15년가량을 살아가기 때문에, 정든 임시보호자를 떠나는 상처를 걱정해 평생의 보호자를 만날 기회를 아예 저버릴 수는 없다.

사지 말고 입양해야 하는 이유

한 쪽에선 만들어지고, 한 쪽에서 죽어가고

2023년 화성 번식장 사건으로 펫숍의 어두운 그늘이 널리 알려졌다. 번식장에서 끔찍한 동물학대와 불법 투자가 일어났는데, 단순히 모견을 수익 수단으로 홍보해 실제 수요와 상관없이 투자자들을 모아 반복적인 출산을 강행했다. 또한 허가된 마릿수를 훨씬 초과하는 1,400마리가 발견되었고, 새끼 강아지의 빠른 유통과 판매를 위해 살아있는 모견의 배를 가위로 갈라 새끼를 꺼내는 심각한 학대도 자행되었다. 심지어 다수의 불법 안락사 등 끔찍한 일들이 발견돼 충격을 주었다.

이를 계기로 '사지 말고 입양하세요'라는 슬로건에 동의하는 반려 인구도 늘어났다. 동물권의 대표적인 슬로건인데,

반려동물을 펫숍에서 사지 말고 유기동물 보호소에서 입양하자는 의미의 캠페인이다. 말 그대로 동물들이 물건으로 취급되어 생산되고 유통되고 있는 과정에서 동물은 고려하지 않고 소비자 중심으로 벌어지는 일들을 경계하자는 목소리가 높아지고 있는 것이다.

강아지가 성견으로 완전히 자라기 전에 가임기가 찾아오는데, 펫숍에서는 새끼를 빨리 낳아 판매하기 위해서 성견도 되지 않은 강아지를 강제로 교배하여 임신시킨다. 그리고 새끼가 태어나면, 모견이 젖도 물리고 필수적인 것을 교육하고 관리도 해야 하지만, 바로 펫숍 전시장으로 보내져 그렇게 할 수 있는 기회를 빼앗긴다. 펫숍을 찾는 소비자에게는 눈도 뜨지 못한 강아지더라도 귀여우면 그만이기 때문이다. 그러나 모견의 젖도 먹지 못하고, 모견의 보살핌도 받지 못한 강아지는 건강이 안 좋을 확률도 높아진다. 그렇게 새끼들을 빼앗긴 모견은 발정제를 맞고 또다시 출산을 강요당한다. 게다가 펫숍에 보내진 새끼 강아지가 소비자의 선택을 받지 못해 커버린다면, 펫숍 전시장 뒤편의 번식장으로 버려진다.

이러한 악순환을 끊어내기 위해 시작된 캠페인이 바로 '사지 말고 입양하자'인 것이다.

나 역시 이런 슬로건을 알고는 있었지만, 사지 말고 입양해야 한다는 것을 몸으로 체감한 것은 포인핸드 앱을 처음으로 다운로드하였을 때이다. 포인핸드 앱에 들어가면, 전국 시 보호소 등에 입소한 유기동물 현황을 볼 수 있다. 개, 고양이뿐만 아니라, 토끼, 거북이, 도마뱀, 새 등 다양하다.

주기적으로 앱에 들어가 내 집 근처 유기동물을 본 적이 있는데, 지금 되돌아보면 동물을 키울 수 있는 환경과 시간이 되면 입양하겠다는 마음을 속 깊이 어딘가에 품고 있었기 때문인 듯하다.

하루는 모견과 갓 태어난 새끼 강아지 네 마리가 함께 보호소에 들어왔다. 그런데 눈도 뜨지 못한 새끼 강아지들을 한 겨울에 각각 다른 방에 넣어둔 것을 보았다. '헉! 새끼 강아지는 어미견의 젖도 못 먹고 그 품에 들어가 체온과 온기도 나눠 받지 못하면 굶어서 죽을 것인지, 얼어서 죽을 것인지, 어떤 이유로 먼저 죽을지를 지켜보고 있는 격 아닌가?'라는 생각이 들어 화가 났다. 역시나, 그 새끼 강아지들은 1주일 후, 2주일 후, 차례대로 '자연사' 했다는 알림이 떴다.

보호소에 들어오는 강아지들을 내가 다 입양할 수도 없는 현실에 발만 동동 구르며, SNS에 보호소 입양홍보 글을 내 계정에도 공유만 해볼 뿐이었다. 4주쯤 지났을까, 그 추운 환경에서 새끼 강아지 한 마리가 살아남았는데, 결국 시간이 좀 더 지나 그 한 마리마저 안락사 되었다.

(공공영역에서 일했던 나는, 공무원에게 민원이 들어온다는 것이 어떤 의미인지 경험으로 안다. 나도 신문고 민원을 받아본 적이 있기 때문이다. 그렇기에 내가 민원을 쓸 것이라고는 생각하지 않았는데, 새끼 강아지와 모견의 죽어가는 과정을 지켜보니 민원을 쓰지 않을 수 없었다. 새끼 강아지는 모견과 한 공간에 있을 수 있도록 하겠다는 내용도 답변에 포함되어 왔지만, 여전히 실제로 이루어지지는 않은 듯했다.)

유기동물 보호소 자원봉사를 갔을 때 보호소 소장님의 말이 떠올랐다.

"시 보호소 실태를 아는 사람은 유기동물을 발견하면 거기로 보내기 싫어해. 가면 다 죽으니까. 그래서 우리 같은 보호소 쪽으로 다 연락해서 맡기려는 거지."

물론 입양율이 높거나 안락사 0%를 지향하는 시 보호소도 있다. (청주시, 용인시, 경주시 등이 대표적이다.) 그리고 시 보호소도 용역업체를 통해 방치하듯이 운영하는 것이 아니라, 직접 인력을 확보하고 자원봉사자를 적극 모집해 유기견 입양 홍보를 활발하게 하는 경우도 있다.

다만 대부분의 시 보호소에는 매일 같이 유기동물들이 들어오고, 겨우 입양되거나, 그렇지 못하면 안락사 또는 자연사로 죽어가고 있는데, 다른 한쪽, 펫숍 번식장에서는 갓 출산한 개에게 바로 강제 출산을 하게 하는 현실이라니 너무나도 이상했다. 한 곳에서는 강아지를 만들어내고, 다른 한 곳에서는 강아지가 죽어가는 것을 지켜보고.

입양할 강아지가 없어서 펫숍과 번식장이 계속해서 생겨나는 것이 아니라, 소비자가 원하는 강아지들을 만들어내기 위함이었던 것이다. 이러한 현실을 알게 된다면, 사지 말고 입양해야겠다는 마음이 절로 생기지 않을까?

시민 자원봉사자들이 자발적으로 운영하는 유기묘 보호센터 봉사활동을 갔

을 때 만난 고양이.

파양에 대한 생각

동물과 함께 살아간다는 것

강아지가 배변 실수를 한다고 창 밖으로 던져 죽게 만든 사건,

인터넷 방송을 하는 사람이 반려동물 학대하는 것을 실시간으로 공유해서 신고를 당했지만, 그 반려동물이 갈 곳이 없다는 이유로 경찰이 학대한 보호자에게 다시 돌려준 사건,

유기묘 보호소에서 입양하는 방법을 터득해 거짓말로 여러 군데의 보호소에서 여러 마리의 고양이를 입양한 후, 모두 학대하고 죽인 사건,

여자친구가 헤어지자고 하자, 남자친구가 여자친구의 반려동물로 협박을 하다가 결국 죽이고 유기까지 한 사건.

이러한 학대 사건들이 벌어지고 뉴스를 통해 알려지고 있는데, 이와 함께 여러 파양 사건들도 이슈가 되고 있다. 반려동물들에게는 파양 역시 학대와 같은 일일 것이다.

반려견 내장칩 삽입이 의무화되었고, 파양한 강아지를 구조해 내장칩을 통해 다시 보호자에게 돌려주자, 내장칩을 칼로 파낸 후 다시 파양한 사건이 있었다.

펫숍에서 입양한 강아지가 말을 안 듣는다고, 펫숍에 다시 찾아가 파양 하고 싶다며 환불해 달라고 하다가 환불해 줄 수 없다고 하자, 펫숍 사장에게 강아지를 던진 사건도 벌어졌다.

이런 파양이 왜 계속해서 일어날까 생각해 본다. 무디입양 절차에서 내가 받았던 인터뷰 질문들로 그 이유를 유추해본다.

무디를 입양할 때 여러 단계를 거쳤다. 보호소에 입양신청서를 제출하고, 내가 살고 있는 환경이 반려동물을 입양하기에 적절한지 등을 밝혀야 한다. 1차 입양신청서 심사가 통과되고, 이후 보호소 자원봉사자들의 추가 질문을 받았다. 자원봉사자들 상의 끝에 추가 답변도 통과가 되면, 최종으로 전화 인터뷰를 하는데, 나의 경우, 약 1시간 동안 전화로 대화를 주고받았다.

내가 받은 질문은 몇 십 가지가 되었는데, '반려동물 입양 후, 1년에 소비하는 돈은 얼마 정도일 것이라고 예상합니까?', '반려동물을 입양하면, 사료는 어떤 것을 급여할 것이며, 산책은 얼마큼 할 계획입니까?' 등 반려동물을 기르는 데 필수적인 것 관련된 질문들이 있었고, 이 외에 좀 더 깊게 생각해 볼 질문도 많았다.

"입양한 강아지가 배변 실수를 하거나 집에 있는 물건을 훼손하면 어떻게 하시겠습니까?"

"강아지가 보호자와 가까워져 분리불안이 생겨 자주 짖는다거나, 문제 행동을 일으키면 어떻게 하시겠습니까?"

"강아지가 아파 수술을 해야 하고, 병원비가 많이 들게 된다면 어떻게 하시겠습니까?"

"나중에 아이를 출산하였는데, 아이에게서 개털 알레르기 반응이 일어난다면 어떻게 하시겠습니까?"

당시 이런 질문을 받으면서, 강아지를 잘 키워줄 가정을 찾는 것도 물론이지만 파양의 가능성이 없는 가정으로 강아지를 보내야겠다는 보호소 자원봉사자들의 의지가 느껴졌다. 내가 받은 이런 질문들로 유추해 봤을 때, 파양의 원인은 '반려동물이 문제행동을 일으켰기 때문에', 또는 '강아지에게 들어가는 돈이 생각보다 많기 때문에', '신혼부부가 강아지를 입양했는데, 나중에 출산한 아이에게서 개털 알레르기 반응이 일어난다는 것을 알게 되었을 때' 등이라는 뜻이기도 하다.

이러한 파양 원인으로 보면, 결국 사람들이 반려동물을 입양하는 것은, 반려동물의 입장을 생각하지 않고 사람의 외로움이나 행복감을 채우기 위해서라는 것이고, 반려동물의 특성에 대해 제대로 알지 못하고 막연한 기대감으로 입양했다는 의미가 될 수도 있다.

물론 사람들마다 개개인의 이유가 있겠지만, 나는 여기서 좀 더 나아가 어린 시절 곤충을 가지고 장난치는 아이들의 모습까지 거슬러 갔다. 잠자리를 잡아 네 개의 날개를 하나씩 순차적으로 뜯어내는 행동, 개미를 돋보기로 타 죽게 하는 장난, 콩벌레를 건드리면 몸을 둥글게 말고 가만히 있는 특성을 이용해 계속해서 괴롭히는 행동 등이 떠올랐다.

이런 어린이들의 장난뿐만 아니라, 태국에서 코끼리 승차 체험을 관광 코스로 만들어 코끼리들을 혹사시키는 것, 넓은 대자연에서 살아야 하는 고래를 작고 답답한 수족관에 넣어 제 수명의 반의 반도 살지 못하고 죽게 만드는 것까지 줄줄이 생각이 났다.

결국은 아직 반려동물뿐만 아니라 동물에 대한 인식이나 문화가 성숙한 단계까지 이르지 못했기 때문이라고 생각한다.

동물은 사람이 물건을 제 입맛대로 제조하듯이, 원하는 특성들을 주입시켜 만든 것이 아니라 태어난 생명이다. 동물과 함께 살아가는 사람 입장에서 동물들의 특성에 대해서도 알고, 그 동물의 색깔대로 살아갈 수 있도록 사람도 노력해야 되겠다는 생각이 든다.

나도 15년이 넘게 한 마리의 강아지를 어린 시절 가족과 함께 기른 적이 있지만, 무디를 주 보호자로 입양하고 나서야 알게 된 것이 많다. 강아지도 견종마다 그 특성이 다르고, 같은 견종일지라도 강아지도 모두가 다르다. 전 세계 인구가 70억 명에 이르러도, 똑같은 사람 한 명 없이 모두가 다른 것처럼 강아지도, 동물도 마찬가지구나라는 것을 몸소 깨달았다.

사람이 자연과 동물과 함께 공존해서 살아가는 지구의 한 일원일 뿐이라는 생각이, 강아지에서 파양으로, 그리고 동물로 연결되어 떠올랐다는 점에서 좀 과하다고 느낄 수 있겠지만, 사실이다.

나 역시 이렇게 느끼는 것뿐만 아니라 어떻게 작은 행동이라도 만들 수 있는지는 잘 모르겠다. 나 역시 생각만 할 뿐 방관자라고 느끼며 죄책감이 든 경험이 있는데, 강아지 돌봄 아르바이트를 했을 때였다.

내 반려동물을 다른 사람에게 맡길 수도 있고, 다른 사람이 부탁한 반려동물을 내가 돌봐줄 수도 있는 플랫폼이 있다. 몇 가지의 절차와 심사를 거쳐, 강아지 돌봄 자격을 얻었고 세 차례 정도 다른 강아지를 봐준 경험이 있다.

가장 처음 돌봄 요청을 받았을 때였다. 보호자가 바쁘니 12일 동안 강아지를 하루에 1시간만 돌봐주고, 배변 패드를 갈아주고, 먹을 것만 교체해 주면 된다는 것이었다. 나는 그렇게 하겠다고 수락했고, 그 집에 방문했을 때, 보호자가 반려동물 돌봄을 맡긴 이유를 알게 되었다. 냉장고에 달력이 붙어있었는데, 그 달력에는 '12일 간 태국여행'이라고 쓰여 있었다.

'…'

'보호자는 12일 간 태국여행을 떠났고, 강아지는 하루 24시간 중 내가 오는 한 시간을 제외하고 23시간을 혼자 있는 거구나. 그것도 12일 동안이나.'

강아지의 시간은 사람의 시간보다 빠르게 흘러간다. 사람에게 하루는 강아지에게 일주일이나 마찬가지다. 그렇다면, 강아지는 몇 달을 보호자 없이 혼자 집에서 보내는 것이나 마찬가지인 것이다. 실제로 법으로 강아지를 오랜 시간 방치해 두는 것은 학대라고 볼 수 있다고 명시되어 있기도 하다.

나는 당시, 이 사실을 알았을 때 할 수 있는 것이 없었다. 내 집으로 데려갈까, 아니면 지금이라도 태국에 있는 보호자를 설득해 호텔링을 맡기라고 해볼까, 여러 생각이 들었지만 정작 할 수 있는 건 없었다. 노즈워크를 하나라도 더 만들어 놓고 오고, 우리 집에 있는 장난감을 가져가, 혼자 있을 때 가지고 놀 거리를 하나라도 더 만들어주는 것밖에 없었다.

그리고 지금 역시 당장에 할 수 있는 것은, 동물 관련 게시물 퍼뜨리기, 수족관이나 동물원 이용하지 않기 등 아주 소소한 행동들뿐이긴 하다.

우리나라의 경우, 전체 인구의 4분의 1, 즉 네 명 중 한 명은 반려동물과 함께 살고 있을 정도로 반려인구가 많아졌기 때문에 반려동물 또는 동물에 관한 문화와 인식도 점차적으로 개선될 필요가 있을 것이다.

유기견은 키우기 더 어렵다는 말

유기견은 펫숍에서 데려온 개보다 키우기 어려울까?

내 대답은 '아니다'이다. 유기견이든 아니든 다 어렵고, 유기견이라고 더 어려운 것은 아니다!

미디어에서 한 연예인이 '개를 처음 길러보는 사람에게, 유기견은 난도가 높으니 펫숍에서 먼저 데려와 길러보는 것이 좋다'는 말을 한 것이 이슈가 된 적이 있다. 유기견은 버림받은 경험이 있어 사람에게 마음을 열기 어려워하는 경우가 간혹 있다 보니, 보호자 입장에서 사람을 따르지 않는 강아지의 마음을 열기 위해 노력하는 과정은 쉽지 않다. 물론

이다.

　나 역시 유기견 중에서도 사람을 무서워하는, 사람과 어떻게 함께 지내야 하는지 전혀 모르는 무디와 지내며 마음고생을 했기에 그 우려를 공감한다.

　그렇지만, 무디는 처음에 사람에게 마음을 열기까지가 어려웠을 뿐, 동물병원이나 강아지 유치원에 방문했을 때, '무디는 사람과 가까워지는 데 시간이 필요한 것 말고는 전혀 어려울 게 없는 강아지예요'라는 말을 공통적으로 들었다.

　무디는 독립적인 성향이 있어 분리불안이 없다. 보호자는 보호자이고, 나는 나이다.

　본인을 보호하기 위한 최소한의 공격성 외에는, 아무리 의사가 주사를 놓거나 수술을 위해 불편해할 만한 행동을 해도 카밍 시그널을 보일뿐, 입질 비슷한 것도 보인 적이 없다. 잘 으르렁 대거나 짖지도 않는다.

　또한 다른 강아지들과 지내면서 문제를 일으킨 적이 없다. 무디를 부담스러워하는 친구를 만나면 예의 바르게 기다려 주거나, 무디를 부담스럽게 하는 친구를 만나면 고개를 돌리는 등의 '진정해'라는 표현을 하며 좋은 대견 관계를 보여주었다.

어느 장소에 가도 보호자 옆에 붙어 가만히 있고, 환경에 대한 호기심을 보이며 조용히 냄새를 맡는다. 그런 무디 덕에 어디라도 갈 수 있다.

집에서 사고를 치지도 않는다. 너무나도 고맙게 무디에게 준 인형만 가지고 놀고 뜯을 뿐, 사람이 쓰는 물건을 파괴하는 일도 없었다. 무디 인형은 산 지 몇 시간 만에 분해되어, 집에 눈이 온 듯 인형 솜이 바닥에 흩뿌려진다. 다만 새끼 강아지라면 이가 간지러워 의자 다리든, 리모컨이든, 사람 안경도 물어뜯을 수 있을 텐데 무디는 한 번도 그런 적이 없다.

무디는 깔끔한 특성이 있어, 여행을 가서 배변 실수한 적이 없고 대변은 실외배변만 한다. 그리고 그루밍을 하며, 스스로 깨끗하게 관리한다. 산책을 나가면, '어머, 털이 어쩜 저리 하얗고 윤기가 나요? 관리 정말 잘해주시나보다'라는 말을 종종 들었는데, 털 관리는 무디가 스스로 한다.

심지어 무디는 식탐이 강하지도 않다. 맛있는 것을 좋아하는 것은 당연지사지만, 식탐이 너무 커서 문제를 일으킨 적도 없다.

무디와 한 집에서 살아가기 위한 규칙도 알려줘야 하고, 산책할 때도 흥분하지 않고 잘할 수 있도록 알려줘야 하고, 사람과 소통하는 법도 알려줘야 하지만, 이 모든 일은 한 생명과 한 집에서 함께 살아가려면 누구와도 거쳐야하는 가장 기본적인 일이라는 것은 마찬가지다. 펫숍에서 데려온 강아지더라도, 한 집에서 사람과 잘 살아가기 위한 노력을 해야 하고 수고를 들여야 한다. 아무것도 하지 않는데 내 마음대로 살아주지는 않는다.

그렇기 때문에 유기견은 어렵고 펫숍에서 데려온 개는 쉽다고 생각한다면 정말로 오산이다. 강아지를 키우는 것 자체가 쉽지 않은 일이다.

오히려 개의 특성을 잘 알아야 하는 일인 것 같다. 나와 잘 맞는 개가 어떤 개일지 고민이 필요하다. 활동량이 많은 개가 잘 어울릴지, 털이 잘 안 빠지지만 미용을 주기적으로 해야 하는 장모견이 맞을지, 내가 살고 있는 환경이 대형견이 더 살기 좋은 환경인지 등을 고민해 보는 것이 좋겠다.

　살아있는 생명을 책임진다는 것 자체가 어려운 일이다. 식물만 봐도 그렇다. 식물은 집에만 데려오면 왜 그렇게 다 죽어버리는지… 잘 자라는 것 같다가도 어느 한순간에 죽어버리기도 한다. 작은 식물 하나를 기르더라도, 햇빛을 많이 쐬어줘야 하는지, 그늘에 두어야 하는지, 물을 얼마큼 줘야 하는지 등 공부하고 실천해야 할 것들이 한두 가지가 아니다.

　어린 시절, 프린세스 메이커와 같이 10대 소녀를 키우는 게임이나, 가상의 애완동물을 기르는 다마고치 게임도 쉬운 것이 없었다. 당시 나는 최선을 다해 노력했는데, 게임 속 캐릭터들은 내 마음 같지 않았다. 그러니 생명이 있는 반려견은 더하면 더할 것이다. 유기견이라서 어렵고, 펫숍에서 데려온 개라서 쉬운 것은 없다. 그저 하나의 생명으로 보는 일일뿐이다.

마치며…

   갓 30대가 됐을 때는 나이에 대해 별 감흥이 없었어요. 실감이 나지도 않고. 그런데 한 살 한 살 먹으며 31살, 32살이 되다보니, '이러다 빼도 박도 못하게 30대 중반이 되겠는데?'라는 생각이 들며 실감이 나더라고요. 30대가 됐다는 것을 체감할 여유도 없이 30대 중반이 되어가고 있었고, 이러다가 40대가 되는 것도 금방이겠다는 위기감이 조금 들기 시작했어요. 그리고 30대로서 살아갈 10년이, 다시 돌아오지 않을 정말 소중한 시기라는 생각이 들기 시작했죠.

   나이가 드는 건 누구나 피할 수 없는, 누구에게나 공평한 일이니까, '나이 안 먹고 싶다'라는 생각은 들지 않았던 것 같아요. (그렇게 생각한다고 해서 될 수 있는 일이 아니라는 것을 잘 알고 있는 현실주의자이다 보니…) 그리고 멋지게, 또는 재미있게 잘 살아가고 있는 30대, 40대, 50대 인생 선배들이 주변에 있었기 때문에, 나이듦에 있어 제가 선구자는 아니었던 거죠. 그래서 어떤 면에서는 불안하지 않았던 것 같아요. 그 세월에 맞게 나이 들어가는 살아있는 예시들이 있었고, 롤모델도 있었기 때문에 나이 든다는 것이 무섭거나 마냥 싫어서 밀어내고 싶었던 일은 아니었어요.

그런데 책임감은 조금씩 밀려오더라고요. '나잇값은 해야겠다'라고요. 제 나이에 맞게 잘 나이들어가야 겠다는 생각이 강해졌어요. 나이에 맞게 잘 늙어가는 게 뭘까 생각했을 때는 여러가지가 떠올랐어요.

'나의 경제력으로 나 한 사람을 부양할 수 있어야 하고, 주변 사람들과도 나눌 수 있을 만큼이 되면 더 좋겠다.'

'나만의 취향을 가져야겠다. 취향을 발견하기 위해 여러가지를 경험하고, 그 중에서 특정한 것이 왜 내 취향인지 이유를 찾아보고, 진짜 내 취향으로 만들어 가야겠다.'

'사회생활 하면서 감정이 요동치는 것을 억제하려고 하고, 간혹은 단호하고 냉소적인 태도를 고수하려고 한 때도 있던 것 같은데, 오히려 시간이 지나며 감정에 솔직한 모습을 잃지 않고, 다정함과 친절함을 다 할 수 있는 체력을 가지는 것이 중요하겠다.'

'자주 연락하지는 못해도, 소중한 가족, 친구, 지인에게 힘들 때는 힘을 줄 수 있어야겠다' 등등 다양한 것들이 떠올랐죠.

그 중에서 '나만의 취향' 갖는 일에 집중해 보기로 했어요. 여기저기 흔들리지 않는 나만의 가치관을 쌓아가는 일이기도 했죠. 나만의 음식 취향, 패션 취향, 문화생활 취향 등 다양한 것이 있는데, 그 중에서 '나만의 취미 꾸준히 유지하기'를 세부 목표로 삼았어요. 그러다보니, 글쓰기가 떠올랐죠.

물론 자연스럽게 쌓이는 취향도 있어요. 나는 술을 많이 마시는 건 싫지만 음식에 어울리는 술을 곁들이는 건 좋더라, 라던지, 옷은 이런 원단을 사용하고 이런 모양으로 만든 옷이 나한테 어울리더라, 라던지, 여행할 때는 관광지를 바쁘게 돌아다니는 것보다 많이 보지 못하더라도 하나를 자세히 보는 여행이 좋더라 등, 자연스럽게 몸에 장착되는 취향들도 있죠. 반면, 노력을 곁들여야 만들어지는 취향도 있는 것 같아요. 예를 들면 바로 취미요.

글쓰기는 초등학생 때부터 중학생, 고등학생 시절을 거쳐 20대까지 꾸준히 손글씨로 일기장을 쓰며 했던 행위였어요. 그렇지만, 일기장은 워낙 뒤죽박죽이라 '글'이라기 보다는 '메모' 또는 '노트' 정도로 느껴졌죠. 말 그대로 나만의 감정 쓰레기통처럼 보이기도 했고요.

나태주 시인이 '자세히 보아야 예쁘다. 오래 보아야 사랑스럽다. 너도 그렇다' 풀꽃이라는 시로 노인의 나이에 대중적으로 유명해지기 전, 수 십년 간 빛을 내서라도 꾸준히 글을 썼다는 것을 알게 되었어요. 그러면서 누가 알아주지 않아도 내가 꾸준히 할 수 있는, 나 자신을 행복하게 하는 나만의 취미 또는 여가활동 만드는 일이 내 인생에서 중요하다는 생각이 들었죠.

내가 쓴 글을 아카이빙하고, 몇 년의 세월이 지나도 그 자리에 남아, 내가 언제든 찾아가 다시 읽어 볼 수 있도록 기록해야겠다는 결심이 들었어요. 그래서 브런치스토리 작가 신청을 했고, 글감이 떠오를 때마다 글을 썼어요. 어떤 날은 글감이 떠오르지 않는데, 마치 회사에 매일 출석한다는 기분을 가지고 쓴 적도 있고요. 그러다보니 어느새 내가 쓴 글이 200편 가까이 되어있었죠.

그 중에서 강아지를 임시보호 하고 입양하는 과정에서 벌어진 일들, 느꼈던 감정, 새롭게 깨달은 생각 등을 담은 글이 30편을 넘어섰더라고요. 실제로 무디가 제게 미친 영향이 어마어마 하기도 했고요. 그래서 이 글들을 묶어 보기로 했습니다. 그 책이 바로 <유기견 임시보호와 입양 일기: 안녕, 나는 무디> 입니다.